Herbert Niehr

Rechtsprechung in Israel

Stuttgarter Bibelstudien 130

Herausgegeben von
Helmut Merklein und Erich Zenger

Herbert Niehr

Rechtsprechung in Israel

Untersuchungen zur Geschichte der Gerichtsorganisation im Alten Testament

Verlag Katholisches Bibelwerk GmbH
Stuttgart

CIP-Titelaufnahme der Deutschen Bibliothek

Niehr, Herbert:
Rechtsprechung in Israel: Unters. zur Geschichte
d. Gerichtsorganisation im Alten Testament /
Herbert Niehr. –
Stuttgart: Verl. Kath. Bibelwerk, 1987
    (Stuttgarter Bibelstudien; 130)
    ISBN 3-460-04301-6

NE: GT

ISBN 3-460-04301-6
Gesamtherstellung: Wilhelm Röck GmbH, Weinsberg

Inhaltsverzeichnis

Vorwort

Die hier vorliegende Studie geht zurück auf meine Beschäftigung mit dem Recht Israels. Dabei fiel mir auf, daß bislang keine Monographie zur Gerichtsorganisation Israels existiert. Auch wenn viele Einzelfragen immer noch nicht befriedigend zu klären sind, so schien es mir dennoch sinnvoll, zumindest in heuristischer Vorläufigkeit eine Studie zur Geschichte der Gerichtsorganisation Israels vorzulegen.*
Eine erste Fassung dieses Buches wurde im Sommersemester 1986 niedergeschrieben. Im folgenden Semester diente sie als Grundlage für ein Seminar an der Universität Würzburg, in dem mir die Teilnehmerinnen und Teilnehmer zu mancherlei Präzisierungen und Ergänzungen verhalfen, wofür ich ihnen von dieser Stelle aus sehr herzlich danken möchte. Gerne danke ich auch Herrn Prof. Dr. J. Schreiner, der seinem Assistenten genug Zeit ließ, diese Studie zu vollenden, Herrn Prof. Dr. E. von Schuler, der den außerbiblischen Teil der Arbeit durchsah, und Herrn Prof. Dr. E. Zenger für die Aufnahme der Arbeit in die von ihm mitherausgegebenen Stuttgarter Bibelstudien.

Würzburg, im April 1987   Herbert Niehr

---

* Die forschungsgeschichtlichen Vorarbeiten zu dieser Studie erscheinen separat in BZ NF 31 (1987) 206–227.

I. Vorfragen

1. Der Ansatzpunkt der Untersuchung: Gesellschaftlicher Wandel und Konfliktlösungsmechanismen

Es bedarf keiner Einzelnachweise, daß die in einem Zeitraum von ungefähr 1000 Jahren verlaufene Geschichte Israels von der Zeit der nichtseßhaften Vorfahren über die Seßhaftwerdung und die Herausbildung eines monarchisch gelenkten Staates bis zum Verlust der Staatlichkeit im Exil sowie der anschließenden Neuformierung einer substaatlichen Gesellschaft nicht nur einen politisch-geschichtlichen, sondern auch einen gesellschaftlichen Wandel von enormer Tragweite mit sich brachte. Vergleicht man nur in der vorstaatlichen Geschichte zwei so unterschiedliche Gesellschaftsformen wie die von Jägern und Sammlern auf der einen und der segmentären Gesellschaft auf der anderen Seite, so stellt man fest, „wie in allen Bereichen des Lebens die Dichte der Organisation zunimmt".[1] In der letztgenannten Gesellschaftsform erhöht sich gegenüber der ersten der Besitz an Boden sowie an vielfachen Sachen, begleitet von einem Anstieg der Bevölkerung. Daraus aber ergibt sich: „Neue Ordnungs- und Konfliktlösungsmechanismen werden notwendig, zumal die alten teilweise nicht mehr funktionieren, wie z. B. die Fluktuation. Man kann nicht mehr so leicht auseinandergehen, wenn es Streit gibt. Seßhaftigkeit bedeutet ganz allgemein einen Verlust an Mobilität. Die Konflikte müssen an Ort und Stelle gelöst werden. Deshalb gibt es in fast allen Gesellschaften Mechanismen für die Vermittlung."[2]
Dies zeigt schon, daß der gesellschaftliche Wandel notwendigerweise einen Wandel von Konfliktlösungsmechanismen nach sich zieht. Wie diese in ihrer Evolution grundsätzlich ablaufen, wurde von *K. Eder* dargestellt: „Vorhochkulturelle Gesellschaften halten in ihrem Rechtshandeln an der Selbsthilfe der Verwandtschaftsgruppen fest. Das Ziel ist die Wiederherstellung des ursprünglichen Gleichgewichts, des status quo ante. Die für vorhochkulturelle Gesellschaften typische Rechtsform ist einfach Streitschlichtung; das dabei ausgebildete Rechtssystem läßt sich als ‚Gewohnheitsrecht' bezeichnen. In den politisch organisierten Klassengesellschaften wird diese Rechtsform durch herrschaftliche Rechtspre-

---

[1] *Wesel*, Frühformen 317.
[2] Ebd. 317f.

chung überlagert. Dieses Recht sucht nicht mehr bloß den status quo ante, sondern sucht nach einer neuen Ausgangsbedingung für die Weiterführung von Interaktionen: sie läßt sich im Rahmen der Zuschreibung von Schuld und Strafe einführen. Hier gewinnt das Strafrecht eine bedeutsame materiale Ausgestaltung. ... Eine gewohnheitsrechtliche Regelung von Konflikten resultiert aus naturwüchsig entstandenen, die konkreten Machtverhältnisse widerspiegelnden Normierungen. Eine herrschaftliche Regelung von Konflikten setzt eine Autorität voraus, die das legitime Recht auf die Anwendung von Gewalt hat; diese Moralisierung der Konfliktregelung kann Konflikte dadurch lösbar machen, daß den handelnden Personen Schuld zugeordnet und diese Schuld durch Bestrafung gesühnt wird."[3] Im Detail differenziert *Eder* dann weiter zur Entwicklung des Rechts in archaischen und hochkulturellen Gesellschaften,[4] wobei uns besonders der Aspekt der Gerichtsbarkeit interessiert. In archaischen Gesellschaften ist das Rechtshandeln auf die Selbsthilfe der streitenden Parteien gegründet. Sippen machen ihre Rechtsstreitigkeiten untereinander aus. Eine zur Regelung von Sippenstreitigkeiten organisierte Gerichtsbarkeit gibt es nur zwischen den Sippen, was zur Folge hat, daß etwa ein Mord unter Verwandten, das heißt ein Verbrechen innerhalb der Sippe ungesühnt bleibt, da der Täter selbst zur geschädigten Gruppe gehört. In den hochkulturellen Gesellschaften „entsteht ein Bedarf nach einem Recht, das die konkrete Machtverteilung zwischen Verwandtschaftsgruppen mediatisieren kann".[5] Das Rechtshandeln wird an einem Souverän festgemacht, wodurch das „Rechtshandeln in hochkulturellen Gesellschaften aus der legitimierenden Selbsthilfe herausgenommen und Dritten übertragen [wird], nämlich Richtern. ... Das Recht beruht nicht mehr auf Selbsthilfe, sondern auf den rechtsanwendenden Verfahren selber".[6]

Was in der rechtsanthropologischen Theorie von der Strukturlinie her klar ist, muß allerdings an konkreten Gesellschaften nachgewiesen werden, wie es in der vorliegenden Arbeit anhand der altisraelitischen Gesellschaft

---

[3] *Eder,* Entstehung 159f.
[4] Die bei *Eder,* ebd. 159f; 165f ebenfalls angesprochene neuzeitliche Situation bleibt außer Betracht, da diese zur Klärung der alttestamentlichen Fragestellung nichts austrägt. Vgl. zum Recht in archaischer Zeit und in vorneuzeitlichen Hochkulturen noch *Luhmann,* Rechtssoziologie 1, 145–190.
[5] *Eder,* ebd. 163.
[6] Ebd.

geschehen soll.[7] Der eingangs genannte Aspekt des Zusammenhangs von gesellschaftlichem Wandel und den sich verändernden Konfliktlösungsmechanismen soll fokussiert werden auf die Träger der Rechtsprechung in Israel. Näherhin wird der Frage nachgegangen, welche Träger der Rechtsprechung von der vorstaatlichen bis in die substaatliche Zeit in Israel auszumachen sind und welche Veränderungen hinsichtlich dieser Kreise in der Gerichtsbarkeit während dieser Zeit festzustellen sind. Bevor aber hierauf im einzelnen eingegangen werden kann, ist die Besonderheit der alttestamentlichen Quellenlage noch eigens anzusprechen.

2. Rechtshermeneutische Überlegungen zur Quellenlage

Wenn Texte auf die ihnen zugrundeliegende und die von ihnen gespiegelte Rechtsordnung hin befragt werden sollen, dann ist zu beachten, welcher Texttyp es ist, der von einem bestimmten rechtlichen Sachverhalt spricht, bevor man sich dem hier angesprochenen Sachverhalt etwa unter dem Aspekt seiner Historizität zuwendet.[8] Bei der Analyse alttestamentlicher Rechtstexte sowie der Texte, die für den Bereich der Gerichtsorganisation relevant sind, ist zu unterscheiden zwischen Rechtskorpora, Verfassungsentwürfen, Erzählungen juristischen Inhalts sowie poetischen und weisheitlichen Texten.

---

[7] Dies geschieht auch im Hinblick auf ausgewählte Rechtsbereiche der umliegenden Staaten, denen Israel gerade verfassungsmäßig vieles verdankt. Damit soll der Gefahr begegnet werden, die Gerichtsorganisation Israels als unvergleichlich im Kontext der umgebenden Kulturen darzustellen. Vgl. in diesem Zusammenhang auch die Frage nach der Einzigartigkeit des israelitischen Rechts und dazu *Locher*, Recht passim.

[8] Diese Fragestellung ist in bezug auf altorientalische Rechtstexte nicht neu. Bekanntestes Beispiel hierzu ist im Rahmen der altorientalischen Rechtsgeschichte *F. R. Kraus'* Fragestellung „Was ist der Codex Hammurapi?" (vgl. *Kraus*, Problem passim). Ausgangspunkt dieser Fragestellung war die Beobachtung, daß in Mesopotamien kein Recht unter Berufung auf den Kodex Hammurapi oder andere Kodizes gesprochen wurde. *Kraus* gelangte deshalb zur Auffassung, daß der sogenannte Kodex Hammurapi kein Rechtskodex sei, sondern als Niederschlag des königlichen Bemühens, als ‚König der Gerechtigkeit' *(šar mēšarim)* zu gelten, aufzufassen sei. Damit wäre der Kodex Hammurapi in den Horizont der Königsideologie einzuordnen, was sich auswirkt auf die Darstellung des altbabylonischen Rechtslebens, die den Kodex Hammurapi nicht ohne weiteres als historisch auswertbare Quelle heranziehen kann. Zur Kritik an *Kraus* vgl. schon *Korošec*, Keilschriftrecht 99 und neuestens *Locher*, Recht 140 Anm. 15 sowie *Westbrook*, Law Codes passim.

Für unsere Fragestellung sind von größter Relevanz Rechtstexte und Erzählungen juristischen Inhalts, weshalb zu diesen beiden Textkategorien hermeneutische Überlegungen anzustellen sind.

Hinsichtlich der Rechtstexte ist zunächst fraglich, welche Relevanz ihnen für die Erkenntnis der hinter ihnen stehenden rechtlichen und gesellschaftlichen Wirklichkeit zukommt. Dementsprechend unterschiedlich sind die Meinungen von Exegeten, die sich im Hinblick auf diese Fragestellung mit Rechtstexten beschäftigen. So geht *E. Otto* bei seinen Überlegungen zur Stellung der Frau in den ältesten Rechtstexten des Alten Testaments davon aus, daß man in den Rechtstexten im Gegensatz zu Frauenschilderungen der erzählenden Literatur oder der Lyrik „am ehesten auf die Alltagswirklichkeit israelitischen Lebens stoßen"[9] wird. Allerdings ist hier sofort eine Einschränkung zu berücksichtigen, auf die *F. Crüsemann* aufmerksam gemacht hat: „Nur ein sehr kleiner Teil des faktisch praktizierten israelitischen Brauchtums und mündlichen Rechts ist in die schriftlichen Korpora gelangt. Diese regeln vor allem umstrittene Fragen und halten altes Recht gegen aktuelle Infragestellungen fest."[10] Und weiter: „Vieles und gerade die womöglich entscheidenden Wandlungen bleiben für uns im dunkeln. Es kommt hinzu, daß vom gesetzten Recht aus niemals auf die wirkliche Lebenspraxis geschlossen werden kann, zumal es vielfach wohl gerade gegen eine sich wandelnde Praxis fixiert worden ist."[11] Dieser Sachverhalt führt dazu, daß die Realität teilweise ganz anders aussieht, als man es aufgrund der fixierten Rechtstexte vermuten würde, was *Crüsemann* beispielhaft belegt anhand eines

---

[9] *Otto*, Stellung 283.

[10] *Crüsemann*, Frau 24. Vgl. auch *Boecker*, Recht 46: „Auffallend ist, daß sich die kodifizierten Bestimmungen vornehmlich mit außergewöhnlichen Rechtsfällen befassen, das Alltägliche und Allgemeine dagegen weitgehend unberücksichtigt lassen."

[11] *Crüsemann*, ebd. 25. Vgl. dazu entsprechende Überlegungen im Kontext der Erforschung der mittelalterlichen Gerichtsbarkeit: „Mit der bloßen Betrachtung irgendwelcher geschriebener Rechtstexte kommt man in der Rechtsgeschichte dieser Zeit nicht weit. Nicht nur weil die Menschen lange nach ungeschriebenen, althergebrachten Regeln lebten und auch urteilten; sondern weil selbst die niedergeschriebenen Vorschriften niemals in der Weise angewendet wurden, wie wir es heute in unserem Rechtsstaat kennen und fordern. ... Die Quellen des Rechtslebens selbst sind deshalb oft wichtiger als die Rechtstexte. Diesbezüglich kommen Chroniken, Städtebeschreibungen, Reiseschilderungen, Selbstbiographien, Schwänkesammlungen, Stadtrechnungen usw. in Betracht, damit auch alle, besonders die ‚einfachen' Formen des ‚Volksgeistes'..." (*Schild*, Gerichtsbarkeit 52).

Vergleichs der Gesetzesbestimmung über den vorehelichen Verkehr (Dtn 22,13–21) mit Aspekten aus dem Hohenlied.[12] Insofern ist es nicht verwunderlich, wenn in der Forschung auch die Ansicht vertreten wird, daß Erzählungen und weisheitliche Ermahnungen die Rechtswirklichkeit adäquater widerspiegeln als Gesetzestexte.[13]

Mit der Rechtsanalyse erzählender Literatur hat sich unter Rückgriff auf die rechtsanalytische Methode von *D. Daube*[14] vor allem *H. Schulz* im Rahmen seiner Arbeit zum Todesrecht im Alten Testament beschäftigt.[15] Für die Erforschung der Gerichtsorganisation Israels in ihrem Wandel auf der Basis von Erzählungen rechtlichen Inhalts sind folgende von *Schulz* herausgearbeitete Punkte wichtig:

– Erzählungen schöpfen in Nebenzügen und -motiven oft aus allgemein geläufigem Rechtsbrauchtum. „Bei der Darstellung rechtsferner Sinngehalte kann eine Erzählung durchaus auf rechtliches Gemeingut zurückgreifen."[16]

– „Es macht einen methodologischen Unterschied, ob z.B. nach theologischen Traditionen... oder nach der Geschichte bestimmter Institutionen bzw. gesellschaftlicher Organisationsformen gefragt wird. Der Rückschluß von der literarischen Form auf die Situation im Volksleben, die Institution... muß für jeden Literaturbereich gesondert auf seine Möglichkeit hin geprüft und methodisch sorgsam differenziert werden."[17] Da das Recht als eigenständiger geistiger, geschichtlicher und gesellschaftlicher Bereich anzusehen ist, „gewinnen Untersuchungen von rechtlichen Institutionen und Organisationsformen im rechtsanalytischen Fragehorizont notwendigerweise methodologisches Eigengewicht".[18]

– Die Analyse des Todesrechts im Alten Testament zeigt, „daß man auch mit rein literarischen Weiterbildungen zu rechnen hat, denen unmittelbar keine institutionellen Gegebenheiten korrespondieren. Auch innerhalb der Rechtsliteratur wird man bei institutionsgeschichtlichen Fragestellungen sorgfältig differenzieren müssen".[19]

---

[12] Vgl. *Crüsemann*, ebd. 85–89.
[13] Vgl. *McKeating*, Sanctions 57–59 und zum Grundsätzlichen auch *Schulz*, Todesrecht 96f.
[14] Vgl. dazu *Daube*, Law in Narratives, in: *ders.*, Studies 1–73.
[15] Vgl. *Schulz*, Todesrecht 95–99 und die ebd. 96 Anm. 46 zitierte Literatur.
[16] Ebd. 96.
[17] Ebd. 97.
[18] Ebd. 98.
[19] Ebd.

– Die Abhängigkeit einer Erzählung von Rechtsvorstellungen, Rechtsbrauchtum oder Rechtssätzen kann als sicher angenommen werden,
wenn drei Hauptbedingungen erfüllt sind: „1. Das Berichtete ist in
seiner Möglichkeit kultur- und rechtsgeschichtlich auch außerhalb des
engeren Umkreises nachweisbar. 2. Erst die rechtlichen Vorgänge er-
hellen den Sinn des Erzählten, der anders dunkel bliebe. 3. Termini
und Wortfelder sind tief im rechtlich-sozialen Bereich verwurzelt."[20]
Nach *Schulz* hat sich *Ch. Mabee* ebenfalls auf der Basis von *D. Daubes*
grundlegenden Vorarbeiten mit der Auswertung von Erzählungen auf die
von ihnen dargestellte Rechtswirklichkeit beschäftigt.[21] Mittels genauer
Analyse der auf Davids juristische Entlastung bezogenen Texte 2 Sam
1,1–16; 4,5–12 wies er auf, „daß die Berichte zu dem Bereich des
Erzählers gehören und nicht zu dem des gerichtlichen Protokollfüh-
rers".[22] In Verbindung mit der Einsicht in deren legitimatorische Tendenz
zeigt sich, daß diese Geschichten nur ungenau die tatsächliche Wirkung
des Rechtswesens widerspiegeln und deshalb für die historische Rekonstruktion des Rechtswesens zweitrangig sind.[23]
Desgleichen wies *Mabee* in seiner Analyse des Jakob-Laban-Streites (Gen
31,25–42) nach, wie ein *judicial setting* verwendet wird, um erzählerisch
weiterzukommen.[24] Schon vorher hatte er in seiner Untersuchung der
alttestamentlichen Geschichten, die den König als Richter darstellen,
herausgearbeitet, wie der alttestamentliche Erzähler eine freie Hand bei
der Gestaltung der Erzählungen hat, wobei er auch Komponenten aus
dem Bereich des Rechtslebens als Gestaltungsmittel verwendet. Die königlichen Gerichtserzählungen stellen somit einen literarischen Griff
dar, den der Autor anwendet, um etwas über den König, nicht aber über
das Gerichtsverfahren auszusagen.[25]
Die von *H. Schulz* und *Ch. Mabee* getroffenen Feststellungen und
Erkenntnisse zur Rechtsanalyse erzählender Literatur sind noch um einen
weiteren Punkt zu ergänzen. Hier ist der Aspekt der Fiktionalität alttestamentlicher Texte zu nennen, dem von exegetischer Seite bislang wenig

---

[20] Ebd. 99.
[21] Vgl. *Mabee*, Problem 23–27; *ders.*, Exoneration; *ders.*, Jacob and Laban.
[22] *Ders.*, Exoneration 107.
[23] Vgl. ebd.
[24] Vgl. *ders.*, Jacob and Laban 205: „Our text is a masterpiece of illustrating how
the Old Testament is able to use the judicial setting to achieve its own ends."
[25] Vgl. *ders.*, Problem IIf und bes. 18f. 23–27.

Aufmerksamkeit zuteil wurde[26] und auf dessen Relevanz für die Erforschung alttestamentlicher Rechtsverhältnisse nur ein Autor hingewiesen und Konsequenzen daraus gezogen hat.[27] Die Fiktion,[28] wie sie uns im Alten Testament entgegentritt, läßt sich definieren als „eine Art von *Geschichtsdarstellung, die zwar historisch Unzutreffendes erzählt, die aber dennoch auf Historie bezogen ist, indem sie eine Wahrheit am Gewesenen aufdecken will, die in der bloßen Beschreibung nicht aufgeht“.*[29]

Grundsätzlich ist für die Fiktion festzuhalten, daß sie die Möglichkeit gibt, frei zu erzählen, wie es hätte sein müssen; so am Beispiel des Königs als des weisen Richters oder des Richters, der sich der Schwachen annimmt. Hierin zeigt sich der normativ-programmatische Charakter des Fiktiven.[30] Ein historischer Quellenwert fiktiver Texte ergibt sich teilweise für die Zeit des Erzählers,[31] was sich in der Frage nach der Gerichtsorganisation Israels auswirkt auf den Bereich der sogenannten historischen Fiktionen, die aus Gründen der Ätiologie konzipiert werden.[32]

---

[26] Vgl. grundlegend *Oeming*, Bedeutung passim.

[27] Vgl. *Schäfer-Lichtenberger*, Exodus 18, bes. 77–79; *Whitelam*, King 15f. 123–136 bespricht zwar ebenfalls fiktive Rechtsfälle, geht aber auf den Aspekt der Fiktion zu wenig ein.

[28] Vgl. dazu aus literaturwissenschaftlicher Sicht *Würzbach*, art. Fiktionalität passim.

[29] *Oeming*, Bedeutung 262.

[30] Vgl. ebd. 264.

[31] Vgl. ebd. f.

[32] Vgl. zum Unterschied zwischen reiner und historischer Fiktion *Schäfer-Lichtenberger*, Exodus 18, S. 77–79; zum ätiologischen Charakter der Fiktion vgl. *Oeming*, Bedeutung 265.

II. Grundzüge der Gerichtsorganisation in der Umwelt Israels

Da die Gerichtsorganisation des Alten Israel nur in ihrer Einbettung in den Rahmen des Alten Orients hinsichtlich ihrer Relativität und Eigenständigkeit zu erkennen ist, sollen in diesem Kapitel mit Mesopotamien und Syrien-Kanaan zwei miteinander in Beziehung stehende Rechtskreise im Hinblick auf Grundstrukturen ihrer Gerichtsorganisation angesprochen werden. Dabei können nur Grundzüge der jeweiligen Gerichtsorganisation vorgestellt werden, da größere Untersuchungen hierzu noch nicht vorliegen[1] und die Eigenart der Quellen weder eine synchrone, noch eine diachrone Darstellung dieser Rechtsgebiete zuläßt.[2] Es wäre darüber hinaus aus dem mesopotamischen und syrischen Raum auf die Gerichtsorganisation in Ebla,[3] Sumer,[4] sowie bei den Hethitern[5] und Hurritern[6] des weiteren einzugehen, was allerdings den Rahmen einer Arbeit, die sich vor allem mit der Gerichtsorganisation im Alten Israel befaßt, bei weitem überstiege. Ebenso bleibt der große Bereich der Gerichtsorganisation des Alten Ägypten[7] völlig außer Betracht.

1. Zur Gerichtsorganisation in Mesopotamien

1.1 Mari

Die Rechtsverhältnisse in Mari sind für die Erforschung der Gerichtsorganisation Israels deshalb von besonderem Interesse, weil sie zeigen, wie alte Stammesämter in der außerstaatlichen Gesellschaft funktionierten, bzw. wie diese Ämter in die königliche Administration einbezogen

---

[1] Vgl. *von Soden*, Einführung 134 Anm. 17, der nur die Arbeiten von *Walther* und *Lautner* nennt.
[2] Vgl. grundlegend zu diesen Schwierigkeiten *Krecher*, Rechtsleben 325–327.
[3] Vgl. dazu *Pettinato*, Archives 45f; 122f.
[4] Vgl. dazu *Korošec*, Keilschriftrecht 56–84; *Krecher*, Rechtsleben passim (Lit.!); *Römer*, Bemerkungen passim (Lit.!).
[5] Vgl. dazu *Güterbock*, Authority and Law; *von Schuler*, Königserlässe; *Korošec*, ebd. 177–186; *Cornelius*, Geschichte 54–65; *Grothus*, Rechtsordnung.
[6] Vgl. dazu *Korošec*, ebd. 163–175.
[7] Vgl. dazu *Seidl*, Einführung passim; *ders.*, Recht 1–48; *Otto*, Prolegomena; *Allam*, art. Gerichtsbarkeit; *Helck*, Wesen; *Hornung*, Einführung 87–98 (Lit.!).

wurden.[8] Es liegt in Mari noch ein Nebeneinander von Stammes- und Stadtgesellschaft vor, wie es auch für das Israel der vor- und frühstaatlichen Zeit gegeben ist.

1.11 Die Gerichtsbarkeit in der Stammesgesellschaft: Scheich und Älteste

Grundsätzlich ist hierbei auf eine Eigenart der Quellenlage einzugehen. Nomaden machen keine schriftlichen Aufzeichnungen, so daß Quellen über die Gerichtsbarkeit der Stammesgesellschaft nur von staatlicher Seite her vorliegen. Für den Staat aber sind die Rechtsverhältnisse der Nomaden untereinander erst dann interessant, wenn hierdurch Belange des Kulturlandes berührt werden.[9] Hinsichtlich der Gerichtsbarkeit in der Stammesgesellschaft ist die Existenz von Stammesrichtern nicht nachzuweisen.[10] Dafür lassen sich klare Belege für zwei andere Rechtsprechungsinstanzen anführen, den Scheich und die Ältesten. Eine Gerichtsbarkeit innerhalb der Familien kann nur vermutet werden; aufgrund der Eigenart der Quellen lassen sich hierfür keine Belege beibringen.

Der Scheich. Dieser hat sich „eine relativ eigenständige Stellung gegenüber dem König zu erhalten gewußt",[11] dennoch mußte im Laufe der Zeit sein Amt nach seiner Wahl durch die Ältesten vom Staate erst noch bestätigt werden,[12] so daß er die Stammesautorität mit einer Art von Beamtenstellung auf sich vereinigte. Damit entsprechen die Scheichs den *sugāgū*, die die Bürgermeister der seßhaften Bevölkerung sind, wodurch der Unterschied zwischen Scheich und *sugāgū* etwas Fließendes erhält.[13] Deutlich wird die richterliche Funktion des Scheichs in ARM II 98, wo es um die Ahndung eines Vergehens gegen den König von Mari geht. Da

---

[8] Vgl. zum Beispiel der Ältesten *Klengel*, šibūtum 359f. 362f und zu dem des Scheich *Klengel*, ebd. 364.367f; *ders.*, Benjaminiten 217. Zum Zusammenspiel von Stammes- und Stadtgesellschaft vgl. die bei *Niehr*, Herrschen 128f Anm. 9–13 zitierte Literatur.

[9] Zur Eigenart des juristischen Materials aus Mari vgl. *Boyer*, Tablettes 31–43; *Klengel*, Zelt 112.115; *Sasson*, Treatment 90–92. Grundlegende Arbeiten zum Gerichtssystem in Mari sind *de Kuyper*, Système judiciaire und *Sasson*, Treatment.

[10] Gegen *Klengel*, Benjaminiten 218f. Später urteilte *Klengel* zurückhaltender (vgl. *ders.*, Zelt 114f).

[11] *Klengel*, šibūtum 364.

[12] Vgl. ebd. 367f; *Kupper*, Nomades 16; *Finet*, Autorités 9.

[13] Vgl. *Finet*, ebd. 9 und zur Problematik *Kupper*, ebd. 16–18; *Klengel*, Benjaminiten 219; *ders.*, Zelt 111.115–122.

dieses von Stammesangehörigen begangen wurde, zog man die Scheichs der Hanäer zur Aburteilung der Übeltäter heran; „Stammesrecht und staatliches Recht sollen miteinander verbunden werden zu dem Zweck, die Autorität königlicher Befehle zu erhöhen".[14] Diese Aufeinanderabstimmung von staatlicher und nomadischer Rechtsprechung zeigt sich gut in ARM II 94, einem Brief, den ein Stammesscheich an den Gouverneur von Terqa sandte. Dieser hatte ein Auslieferungsbegehren an den Scheich gerichtet, demzufolge der Scheich alle Männer von Terqa, gegen die eine Rechtssache vorlag und die sich auf seinem Gebiet aufhielten, ausliefern sollte, damit der Gouverneur sie aburteile. Der Scheich weigerte sich allerdings, diesem Ersuchen nachzukommen, da er seinen Bezirk nicht mit eigener Hand abwirtschaften wollte, zumal die vom Gouverneur abgesandten Untersuchungsrichter die Beschuldigten nicht überführen konnten. Deutlich zeigt sich in diesem Vorgang die Macht des Scheichs, unter dessen Rechtsschutz sich Angeklagte recht sicher aufhalten konnten.

Ein anderer Aspekt der Jurisdiktion des Scheichs wird in ARM V 72, 6′–11′ angesprochen. Hier geht es um ein Beutevergehen. Trotz des Verbotes seines Vorgesetzten hatte sich jemand Beute angeeignet und war deshalb von seinem Vorgesetzten und den Scheichs seines Ortes[15] verurteilt worden. Daraufhin appellierte der so Verurteilte an den Vizekönig, der ihm aber folgende Antwort zukommen ließ: „Du moment que [Qarrâdu] et les cheiks t'ont [ju]gé, moi-même, que pourrais-je dire de plus?"[16] (ARM V 72, 6′–11′). Dieselbe Antwort wurde dem Bittsteller auch anschließend vom König zuteil (ebd. 15′–16′), woraufhin er sich mit seiner Appellation zum Vizekönig von Mari begab (ebd. 17′).[17] Rechtsgeschichtlich ist an diesem Fall wichtig, daß die Möglichkeit einer Appellation an die Inhaber der staatlichen Gerichtsbarkeit bestand, wenn man mit dem Spruch der gentilen Gerichtsbarkeit nicht einverstanden war. In ARM V 72 zeigt sich aber auch, daß die durch den König und den Vizekönig repräsentierte staatliche Gerichtsbarkeit das Urteil der nichtstaatlichen Gerichtsinstanz bestätigte.

Die Ältesten. Wie die durch die Scheichs ausgeübte Gerichtsbarkeit in die staatliche integriert war, so verhält es sich auch mit der Gerichtsbarkeit der Ältesten. Dies zeigt der Text ARM III 73,11–15, der einen Ausschnitt

---

[14] *Klengel*, Zelt 115.
[15] Vgl. dazu *Sasson*, Treatment 93 Anm. 4.
[16] Übersetzung nach *Dossin*, ARM V.
[17] Vgl. zum Fall noch *Sasson*, Treatment 93 und ebd. Anm. 4.

aus einem Brief des Gouverneurs Kibri-Dagan an den König Zimri-Lim darstellt. Dieser war in Unruhe versetzt durch Aufruhrgerüchte in Samā-rum und beauftragte deshalb seinen Gouverneur Kibri-Dagan, eine Untersuchung durchzuführen. Deshalb berief Kibri-Dagan eine Versammlung der Stadtältesten und des *ḫazannum*, der als eine Art Bürgermeister zu verstehen ist, ein. ARM III 73,11–15 schildert nun den Spruch dieses Gremiums, welches dem, der an der Affäre beteiligt war oder davon gewußt hat, den Tod androht.

Für die hier zugrundeliegende Art der Gerichtsbarkeit ist bedeutsam, daß die Ältesten und der *ḫazannum* ein Urteil fällten, wobei der König durch seinen Gouverneur überwachen ließ, daß dieses sich nicht gegen die Interessen des Staats richtete, bzw. daß staatsfeindliche Bewegungen unterdrückt wurden.[18] Des weiteren geht aus diesem Fall die in Mari und Syrien-Kanaan oftmals belegte Kooperation von *ḫazannum/rabânum* mit den Ältesten hervor.[19] Der den Titel *ḫazannum* oder *rabânum* führende Bürgermeister war ein staatlich bestellter oder vom Staat in seinem Amt bestätigter Beamter, der die Interessen des Staates in der sonst von Ältesten geleiteten Kommune vertrat.[20] Wie Könige und Gouverneure stellten auch die Bürgermeister in wichtigen Fällen eine Berufungsinstanz dar.[21]

1.12 Die staatliche Gerichtsbarkeit: Der König und seine Beamten

Der König. Von der königlichen Gerichtsbarkeit handelt eine Reihe von Texten aus den Archiven von Mari.

So ist in einem Brief an Zimri-Lim, den König von Mari, davon die Rede, daß die Ältesten von Qâ zum König geschickt wurden, der ihre Rede anhören und ihnen einen angemessenen Ausgleich verschaffen sollte (ARM II 95). Es handelt sich hierbei um eine politische Angelegenheit. Zu vergleichen ist ARM II 75, wo deutlich wird, daß Qâ eine republikanische Regierungsform hatte und ohne Erlaubnis des Königs von Mari den Beschluß gefaßt hatte, einem auswärtigen König beizustehen.[22] Ebenfalls politisch ist die Anordnung des Königs Šamši-Addu, einen

---

[18] Zu ARM III 73 vgl. *Marzal*, Clauses 344.354.
[19] Vgl. dazu im Überblick *Ahlström*, Administration 22f.
[20] Vgl. *Finet*, Autorités 2f.
[21] Vgl. *von Soden*, Einführung 134.
[22] Vgl. *Sasson*, Treatment 99 Anm. 22.

Gegner im Gefängnis zu halten und seine Angelegenheit nicht hinausdringen zu lassen (ARM I 57). Diese Ausnutzung der Gerichtsbarkeit für die Ziele der eigenen Politik, wie sie aus diesem Text ersichtlich ist, ist kein isoliertes Ereignis. Darauf verweist der in ARM XIII 107 berichtete Fall, demzufolge der König dem Gouverneur Kibri-Dagan den Befehl erteilte, einen Menschen unauffällig verschwinden zu lassen. Hintergrund dieser Maßnahme war, daß dieser seinen Wohnsitz in eine benjaminitische Festung verlegt und damit auch seine Loyalität geändert hatte.[23]

In strafrechtlichen Angelegenheiten agierte der König auch als Gerichtsinstanz. So geht aus ARM II 136 hervor, daß der König in Angelegenheiten tätig wurde, die die Rückgabe von Besitz betreffen; eine vergleichbare Angelegenheit schildert auch ARM IV 58.[24]

Ebenso fungierte, wie aus einigen Briefen zu ersehen ist, der König auch als Appellationsinstanz. So wandte sich eine Frau an den König (ARM XIV 88), die ein Feld erhalten hatte, welches aber von einem anderen bearbeitet wurde. Der Gouverneur hatte in dieser Sache schon die Anordnung erlassen, daß die Frau ein Drittel der Ernte erhalten sollte, was aber nicht geschah. Nun sah sie in der Appellation an den König die letzte Möglichkeit, sich ihr Recht zu verschaffen. Der in diesem Brief beschuldigte Sîn-mušallim ist auch in ARM X 92 Gegenstand der Klage einer Frau beim König, da er ihre Amme weggenommen hat und diese nun bei Sîn-mu-šallim wohnt.

Aus ARM X 90,6 geht hervor, daß der König bezüglich einer Schuldangelegenheit ein Urteil gegen eine Frau gefällt hat. Diese hatte aber noch weitere Schulden, weshalb sie aus ihrem Haus vertrieben wurde. Deshalb bat sie den König, das Haus zurückzuerhalten und noch einen Garten und ein Feld vom König zugewiesen zu bekommen.[25]

Wenn es um Belange des Krongutes ging, agierte der König selbst als Richter.[26] Dies zeigt das Dokument ARM VIII 85, demzufolge ungefähr 40 Personen Palastland beansprucht hatten, welches die Stadt Sagarâtum ebenfalls für sich beanspruchte.[27] Die Stadt versammelte sich, und der König Zimri-Lim fällte ein Urteil, dessen Inhalt aber aufgrund der Textverderbnis nicht deutlich ist. Ein weiterer Fall königlicher Gerichts-

---

[23] Vgl. ebd. 100 Anm. 25. Zu den Spannungen zwischen Mari und den Benjaminiten vgl. *Klengel*, Zelt 57–67.

[24] Vgl. dazu *Sasson*, Treatment 107f.

[25] Vgl. zum Fall ebd. 91.

[26] Vgl. dazu *Boyer*, Commentaire 238; *Sasson*, Treatment 107f.

[27] Vgl. zum Gegenstand des Prozesses *Boyer*, ebd. 239f.

barkeit wird bezeugt in einem Brief des Königs von Karkemiš an Zimri-Lim.[28] Zwei Männer waren der Verschwörung angeklagt, und der König beschloß, sie dem Flußordal zu unterwerfen, um zu ermitteln, ob die Anklage ihre Berechtigung hatte oder nicht.

Für die königliche Verwaltung in Mari ist grundsätzlich zu bemerken, „daß die Organisation der Verwaltung stark auf die Person des Königs und die ihn umgebenden Beamten zugeschnitten war und daß man bei der Durchführung von Verwaltungsakten anscheinend oft pragmatisch verfuhr..."[29] Diese „Vorliebe für personalisierte Beziehungen bei Verwaltungsakten erklärt sich wohl aus der Herkunft der Könige aus dem amuritischen Nomadentum. Der Herrscher ist persönlich an der Regelung von Detailfragen beteiligt und delegiert nur wenig Verantwortung".[30] In Abwesenheit des Königs konnten Rechtsfälle vor die Königin gebracht werden, die in solchen Fällen Anordnungen erließ (ARM X 160) oder die Angelegenheit vor den König brachte (ARM X 114). Desgleichen wurde an Palastbeamte geschrieben, die in einer bestimmten Sache zugunsten des Schreibers intervenieren sollten (ARM X 105), da diese Sache schon vorher dem König vorgetragen worden war (ebd. 10–11). Im übrigen kam den Palastbeamten auf juristischem Gebiet eher die Exekutive, beziehungsweise die Klärung bestimmter Fälle zu, wie es sich etwa am Beispiel des Baḫdi-Lim, des Palastvorstehers von Mari, zeigt.[31] Ebenso wurden vor die Palastbeamten Fälle zur Anhörung gebracht,[32] wobei man diese Anhörungen als „minitrials" verstehen kann.[33]

Der Bereich der königlichen Rechtspflege wird dadurch erweitert, daß Amtspersonen die ihnen übertragenen Fälle an den König weiterleiteten. Dies ist aus ARM II 79 ersichtlich, da der Gouverneur von Qattuna nomadische Schafhirten des Diebstahls bezichtigte und sie, da sie nicht seine Untertanen waren, an den König weiterverwies.[34] Ein weiterer, in diese Kategorie gehörender Fall liegt in ARM XIV 51 vor. Ein Untergebener des Gouverneurs Yaqqim-Addu wurde beschuldigt, im Ausland

---

[28] Vgl. zum Text *Dossin*, Correspondence 112–118.
[29] *Renger*, art. Hofstaat 444.
[30] Ebd.
[31] Vgl. dazu *Kupper*, Baḫdi-Lim 581f.
  Wenn Baḫdi-Lim einen Schuldigen hinrichten lassen wollte, mußte er allerdings beim König um Erlaubnis fragen (vgl. ARM II 48).
[32] Vgl. etwa ARM II 114; X 58; XIV 51.
[33] Vgl. *Sasson*, Treatment 107.
[34] Vgl. dazu ebd. 97 Anm. 15.

Sklaven und Esel gestohlen zu haben. Bei der Befragung durch den Gouverneur verlangte er, vor den König gebracht zu werden, so daß Yaqqim-Addu ihn nach Mari an die Gerichtsbarkeit des Königs überstellte.

Die Gouverneure: merḫum und šāpiṭum. Die Titel *merḫum* und *šāpiṭum* bezeichnen Gouverneure im Königreich von Mari, wobei der durch die beiden Titel angezeigte Unterschied darin liegt, daß der *merḫum* höher im Rang und direkt dem König unterstellt war und sich seine Jurisdiktionskompetenz über mehrere Provinzen erstreckte. Der *šāpiṭum* hatte demgegenüber nur eine Provinz unter sich und entsprechend weniger Macht.[35] Beide Gouverneure übten jurisdiktionelle Macht aus, wobei auffällt, daß die Rechtsprechungskompetenz des *šāpiṭum* in den Quellen gut belegt ist, während sich für eine entsprechende Tätigkeit des *merḫum* nur ein ungewisser Beleg beibringen läßt. Hierzu ist auf ARM XIV 53 zu verweisen, woraus hervorgeht, daß ein *merḫum* durch einen Diener einen Gefangenen zu einem anderen *merḫum* bringen ließ. Der Gefangene wurde beschuldigt, Informationen an einen ausländischen König gegeben zu haben. Die hier ergriffene Maßnahme läßt sich allerdings auch rein politisch verstehen, so daß ARM XIV 53 kein Indiz für eine forensische Tätigkeit des *merḫum* darstellt.[36]

Wendet man sich dem *šāpiṭum* zu, so zeigen die Quellen aufgrund juristischer Fachterminologie sowie aufgrund des Inhalts mehrerer Schreiben, daß ihm ein Anteil an der Rechtspflege in Mari zukam. Besonders gut ersichtlich ist dies aus ARM VIII 84, 4–5, wo der *šāpiṭum* als Subjekt der Wendung *'dīnam aḫāzu'* Š (ein Prozeßverfahren gewähren) auftritt.[37] Den Kontext des hier genannten Verfahrens stellt ein Erbschaftsstreit zwischen einem Mann und einer Frau dar, die nach der Regelung der Streitsache durch den *šāpiṭum* in dessen Urteilsspruch einwilligten. Ebenfalls gut ersichtlich ist die jurisdiktionelle Kompetenz des *šāpiṭum*

---

[35] Vgl. dazu *Niehr*, Herrschen 29f und die dort genannte Literatur.

[36] Vgl. auch *Marzal*, Raíz 236, der annimmt, daß der *merḫum* von Amts wegen keine Beziehung zur Rechtsprechung hat.
Die Übersetzung von *merḫum* mit „ein Funktionär (Oberrichter?)" in AHw 646 beruht darauf, daß AHw den *šāpiṭum* als ‚Richter' versteht (1173) und in ARM I 62, 5'–14' ein *šāpiṭum* zur Stellung eines *merḫum* avanciert. Die forensischen Übersetzungen beider Titel sind jedoch nicht haltbar (vgl. *Marzal*, Title 195; *Safren*, merḫûm 3), wie auch die Gleichsetzung von *šāpiṭum* mit *DI.KUD₅* = *dajjānum* nicht haltbar ist (vgl. *Niehr*, Herrschen 34).

[37] Vgl. zu dieser Wendung die bei *Niehr*, Herrschen 28 Anm. 13 genannte Literatur.

aus ARM X 160, 16–17, wo ausgesagt wird: „Auf Geheiß des *šāpiṭum* hat man die Frau als seinen Schuldhäftling eintreten lassen." Der hier verwendete Terminus *ʾerēbuᶜ* Š ist Ausdruck der Gerichtssprache und bezeichnet das Einsperren ins Gefängnis.[38]

Nach ARM VIII 6 interveniert ein *šāpiṭum* in einer Vertragsangelegenheit, die ein Feld betrifft. Leider ist der Kontext zerstört, so daß Näheres bezüglich seiner Intervention nicht deutlich wird.[39]

In ARM II 94 wird die Jurisdiktion des *šāpiṭum* Kibri-Dagan an einen *ṣuḫārum*[40] delegiert, der als eine Art Untersuchungsrichter des Gouverneurs fungierte.[41] Der faktische Verlauf dieses Auslieferungsbegehrens zeigt das Fehlen genauer jurisdiktioneller Richtlinien.[42]

Der hier genannte Kibri-Dagan drohte in einem anderen Brief, Deserteure ins Gefängnis werfen zu lassen (ARM II 92, 26–27), was noch gesteigert wird durch die Anweisung Kibri-Dagans, Deserteure zu pfählen (ARM XIII 108). Zu vergleichen ist hiermit eine Anordnung des *šāpiṭum* Yaqqim-Addu von Sagarâtum, der nach ARM XIV 75, 21–22 einen Deserteur hat ins Gefängnis werfen lassen. Des weiteren sind auch Fälle von Amtshilfe bekannt. So bat Išme-Dagan, Gouverneur von Ekallatum, seinen Bruder Jasmaḫ-Addu, Gouverneur von Mari, um die Überstellung eines seiner Bürger, da dieser einem anderen Bürger seines Distriktes eine große Summe schuldete (ARM IV 58). Ein ähnlicher Auslieferungsantrag liegt auch in ARM I 89 vor.

Der Gouverneur konnte auch Angeklagte der Gerichtsbarkeit des Königs überstellen, wie ARM XIV 51 und XIV 86,1–15 zeigen.

In ARM V 39 beklagt sich ein Gouverneur beim König, daß ein gerichtlich Beklagter nie zum Prozeß erschienen sei. Einmal schon hat ihn der Gouverneur, ein anderes Mal haben ihn die Richter verurteilt, aber der Beklagte verachtete das Urteil beider Rechtsprechungsinstanzen. Dies

---

[38] Vgl. dazu *Sasson*, Treatment 104f.

[39] Vgl. dazu noch *Marzal*, Title 201: „The governor may have been considered the final authority to decide on any legal claim that might arise later in connection with the transaction."

[40] Vgl. zum Titel AHw 1109; CAD Ṣ 234; *Garelli*, art. Hofstaat 445 und *Macdonald*, Role passim.

[41] Vgl. dazu *Stähli*, Knabe 268, der über den *ṣuḫārum* aussagt, daß dieser im Auftrag des Gouverneurs „gleichsam als Untersuchungsrichter mit rechtlichen Befugnissen ausgestattet ist, die ihm die Vollmacht geben, in erster Instanz über schuldig oder nichtschuldig und damit über die Weiterführung des Gerichtsverfahrens zu entscheiden".

[42] Vgl. *Sasson*, Treatment 98.

wirft ein bezeichnendes Licht darauf, daß Gouverneure und Richter nicht unbedingt in der Lage waren, ihrem Urteil Autorität zu verschaffen.[43] Vergleichbar ist der schon aus ARM X 88 geschilderte Fall: Da der Beklagte sich nicht an das Urteil des Gouverneurs hielt, wandte sich die Klägerin nun direkt an den König.

Die Richter. Ihre Stellung im Rechtssystem von Mari ist besonders undeutlich, zumal etliche Belege des Terminus *dajjānum* (Richter) aufgrund der verderbten Kontexte nicht mehr aussagekräftig sind.

In ARM VIII 83 geht es um den Fall eines Ochsen, in dem ein *dajjānum* ein Urteil gefällt hat. Der nähere Kontext ist aufgrund der Textverderbnis nicht zu rekonstruieren. In ARM VIII 87 ist die Rede davon, daß die *dajjānū* das Eigentum eines Verstorbenen inventarisiert haben.[44]

Aus dem bereits erwähnten Brief ARM V 39 wird das Zusammenspiel mehrerer Rechtsinstanzen ersichtlich. Der Gouverneur hatte jemand vor sein Gericht beordert, weil dieser einen Teil der Beute des Gouverneurs an sich genommen hatte. Deshalb wurde er zweimal verurteilt. Außerdem haben ihn auch die Richter verurteilt, aber der Verurteilte verachtete beide Urteile. Der in ARM V 39 vorliegende Brief stellt eine Appellation an den König dar, der als die mächtigste Rechtsprechungsinstanz hier eingreifen sollte.[45]

Des öfteren ist belegt, daß der *dajjānum* als Zeuge in Verträgen auftritt,[46] was auf gewisse notarielle Funktionen des *dajjānum* schließen läßt. Insgesamt läßt sich nicht sagen, ob es sich bei den *dajjānū* um königliche oder städtische Richter handelt oder um eine Körperschaft von Richtern. Da die Texte, die das Amt des *dajjānum* erwähnen, im Palast von Mari gefunden wurden, läßt dies an eine Beziehung der Richter zum König denken.[47]

1.2 Assur und Babylon

Wie in Mari ist auch bei der Untersuchung der Gerichtsorganisation in Assur und Babylon hervorzuheben, daß es hier keine allgemein gültige

---

[43] Dieser Sachverhalt erklärt auch, warum der gentilen Gerichtsbarkeit in Mari noch großer Einfluß zukam, da diese in bestimmten Bevölkerungsschichten sich besser durchsetzen konnte.

[44] Vgl. zu diesem Vorgang *Boyer*, Commentaire 240.

[45] Vgl. zu diesem Brief *Sasson*, Treatment 92.

[46] Vgl. die Belege bei *Stephens*, Tablet 186; *Nougayrol*, Documents 208.

[47] Vgl. auch *Boyer*, Commentaire 238; *ders.*, Tablettes 43.

Gerichtsverfassung gibt.[48] Ebenfalls wie in Mari läßt sich die gentile, durch die Ältesten und die Volksversammlung ausgeübte Gerichtsbarkeit von der staatlich verwalteten Gerichtsbarkeit, deren Repräsentanten der König und die von ihm eingesetzten Beamten sind, unterscheiden. Anders als in Mari ist in Assur und Babylon die Institution der Tempelgerichtsbarkeit belegt.

1.21 Die Gerichtsbarkeit der Ältesten und der Volksversammlung

In Rechtstexten ist häufig die Rede von den Ältesten einer Stadt, die allem Anschein nach einen geschlossenen Kreis darstellten,[49] der als Gerichtsinstanz fungierte. Daß sie allerdings keine völlig selbständige Gerichtsinstanz darstellten, zeigen die Texte, denenzufolge das Gerichtsgremium bezeichnet wird als „die Stadt und die Ältesten".[50] Daneben arbeiteten die Ältesten in ihrer Jurisdiktionskompetenz zusammen mit dem Bürgermeister *(rabianu)* sowie den königlichen Richtern. Die Unterstützung der königlichen Richter durch die Ältesten war insbesondere notwendig bei Verhandlungen vor ortsfremden Richtern, da die Ältesten die Personen und Orte, auf die es in der Verhandlung ankam, kannten.[51] Deswegen wurden teilweise auch Rechtsfälle vom königlichen Gericht in die Zuständigkeit der Ältestengerichte überwiesen, was besonders häufig bei Fragen des Bodenrechts vorkam.[52] Daß der Bürgermeister der Ältestengerichtsbarkeit vorstand,[53] hatte seinen Grund darin, daß er als Funktionär des Palastes anzusehen war,[54] der als Ortsvorsteher dem König verantwortlich war und den obersten Richter im Kreise der Ortsgerichtsbarkeit darstellte.[55] Neben den Ältesten ist im Bereich der nichtstaatlichen Rechtsprechung die Rolle der Volksversammlung *(puḫrum)* zu nennen, die durch die Versammlung der Vollbürger einer Stadt konstituiert wurde. Diese trat vornehmlich als ein Organ der Rechtsprechung auf.[56] Sie war also die Trägerin der Volksgerichtsbarkeit und als solche zu unterscheiden von der

---

[48] Vgl. *Krecher*, Rechtsleben 339.
[49] Vgl. *Walther*, Gerichtswesen 52f.
[50] Vgl. ebd. 59f. 61.64.
[51] Vgl. ebd. 54f.
[52] Vgl. *Klengel*, Zelt 132f.
[53] Vgl. dazu *Walther*, Gerichtswesen 8.56–61; *Gamper*, Gott 28.
[54] Vgl. *Krückmann*, art. Beamter 445.
[55] Vgl. ebd.
[56] Vgl. zur Volksversammlung besonders *Walther*, Gerichtswesen 45–52; *Fabry, sôd* 105–107.

Institution der Ältesten und der Richter trotz enger Beziehung zu diesen beiden Gremien.[57] Im Laufe ihrer Entwicklung wurde die Volksversammlung allerdings in ihrer Macht beschnitten und auf die Rolle einer beratenden Versammlung eingeschränkt, was dadurch zustande kam, daß die königlichen Richter den Vorsitz in der Volksversammlung an sich zogen.[58] In neubabylonischer Zeit hatte die Volksversammlung nur noch Jurisdiktionskompetenz über Eigentumsdelikte und Privatklagen lokaler Natur.[59]

1.22 Die staatliche Gerichtsbarkeit: Der König und seine Beamten

Der König. Die Stellung des Königs als oberster Richter liegt begründet in der Königsideologie, derzufolge er durch die Götter ausgewählt ist, die Ordnung im Lande aufrechtzuerhalten. Die Prinzipien des Rechts – *kittum* und *mēšarum* – wurden dem König vom Richtergott Šamaš, dem Sonnengott, übergeben, so daß er als der irdische Garant der Rechtsordnung betrachtet wurde, weshalb er selber als Richter tätig wurde und Rechtskodizes abfassen ließ.[60] Aus diesem Grunde bezog der König auch die älteren, vorköniglichen Instanzen der Gerichtsbarkeit, das heißt die Ältestengerichtsbarkeit und die Tempelgerichtsbarkeit, dadurch in die eigene königliche Gerichtsbarkeit ein, daß er Königsrichter einsetzte, die die beiden alten Formen der Gerichtsbarkeit unter ihre und damit des Königs Aufsicht und Einfluß brachten.[61]

Hinsichtlich der richterlichen Tätigkeit des Königs im engeren Sinne der Streitbeendigung hat *W. F. Leemans* drei Aspekte des königlichen Richterhandelns herausgestellt:[62]

– Der König untersucht selbst den Fall und fällt das abschließende Urteil.

– Der König fällt eine Entscheidung über die rechtliche Lage und gibt zur Entscheidung von Faktenfragen den Fall an die Ortsrichter der lokalen Behörden zurück.

– Der König remittiert den gesamten Fall an Ortsrichter.

Hinsichtlich der Art der verhandelten Fälle ist zu bemerken, daß unter

---

[57] Vgl. *Fabry*, ebd. 106.

[58] Vgl. ebd.

[59] Vgl. *Dandamayev*, Elders 49.

[60] Vgl. *Kraus*, Problem 287; *Pintore*, Struttura 467; *Krecher*, Rechtsleben 350f. Zur Königsideologie vgl. bes. *Liverani*, ΣΥΔΥΚ und *Cazelles*, Idéologie.

[61] Vgl. *Krecher*, ebd. 341.

[62] Vgl. *Leemans*, King 110 und zu Einzelheiten ebd. 110–124.

den Belegen, die *W. F. Leemans* zu den drei Aspekten königlicher Gerichtsbarkeit anführt, bodenrechtliche Fälle überwiegen.[63] Ein strittiger Punkt ist, ob der König auch als oberster Richter im Sinne einer letzten Instanz angerufen werden konnte.[64]

Königliche Beamte als Richter. Schon in den altbabylonischen Briefen tritt der Titel *dajjānu (DIKUD)* zur Bezeichnung der Richter auf, wobei unsicher ist, ob es sich hierbei um beamtete Richter oder nur um Titelträger handelt.[65] Für die erste Sicht könnte sprechen, daß der König versuchte, auf die Gerichtsbarkeit Einfluß zu gewinnen, und dieses über das von ihm neu geschaffene Richteramt des *dajjānu* in die Wege leitete. Des weiteren spricht hierfür, daß das Tempelgerichtswesen durch die Schaffung neuer Gerichte und die Verbindung der Richter mit Beamten der Staatsverwaltung unter königliche Kontrolle gelangte.[66] An einigen Stellen tritt auch der Titel ‚Richter des Königs' auf,[67] wodurch auf die Bestellung der Richter verwiesen wird.

Die Ursache für die Schaffung eines Staatswesens mit Beamten und Richtern liegt begründet in der Herrschaft von Westsemiten in Mesopotamien, denen die alte sumerische, auf Priestermacht beruhende Herrschaftsform der Theokratie nicht entsprach. Unter Hammurapi entstand ein zentralisierter Nationalstaat, der in verwaltungstechnischer Hinsicht die Priester zurückdrängte und durch Beamte und Richter mit einer ‚säkularisierten' Verwaltung regiert wurde.

Hinsichtlich der Stellung der Richter erfährt man aus den altbabylonischen Briefen, daß der *dajjānu* als eine Art Treuhänder bei Prozessen fungieren,[68] Unterhaltsansprüche festsetzen[69] und Urkunden siegeln[70] konnte. Deutlicher wird die Stellung der Richter in einem altbabylonischen Brief, in dem der Schreiber sich darüber beklagt, daß man ihm sein väterliches Haus weggenommen hat. Deshalb schickt er einen Boten mit einem Brief, in dem er bittet, daß der Obmann der Kaufleute und die

---

[63] Vgl. ebd. 110–124.
[64] Ablehnend *Krecher,* Rechtsleben 350; anders *von Soden,* Einführung 134.
[65] Vgl. *Krecher,* ebd. 341.
[66] Vgl. *Walther,* Gerichtswesen 12.
[67] Vgl. ebd. 14–16; *Lautner,* Entscheidung 79–81.
[68] Vgl. *Kraus,* Briefe 1, Nr. 74, 16–18.
[69] Vgl. *ders.,* Briefe 4, Nr. 147, 13–15.
[70] Vgl. *ders.,* Briefe 1, Nr. 120, 10′.
Zur Rolle des Richters bei Rechtsgeschäften vgl. *Walther,* Gerichtswesen 20–23.

Richter von Sippar zusammentreten sollen, um Recht zu sprechen.[71] Neben dieser Appellation an ein Richterkollegium finden sich auch Belege für eine Appellation an einzelne Richter,[72] die wohl als Vorsitzende eines Gerichtshofs aufzufassen sind, zu dem noch weitere Richter gehörten.[73] Was die Zusammensetzung der Gerichtshöfe angeht, so lassen sich unterscheiden die eigentlichen amtlichen Richter, weitere höhere Beamte, die auch Prozesse führen konnten, sowie Laienrichter aus dem Kreis der Zeugen, die in Verbindung mit beamteten Richtern oder auch ohne diese amtieren konnten. Ob die Gerichtshöfe nur für besondere Fälle jeweils zusammenkamen oder ob vielleicht in Sippar eine Stetigkeit der gemischten Gerichtshöfe herrschte, ist nicht zu entscheiden.[74] Schon erwähnt wurden die Richterkollegien, die als rechtsentscheidendes Organ die Norm waren. Einzelrichter hingegen prüften die Voraussetzungen eines Verfahrens und leiteten es ein; die Durchführung des Prozesses und seine Entscheidung lag beim Richterkollegium.[75] Für die neuassyrischen Rechtsverhältnisse ist hingegen eine Veränderung dieser Struktur zu bemerken, da hier der Titel *dajjānu* nicht auftritt und die Rechtsprechung im Normalfalle durch Einzelrichter erfolgte.[76] Es ist des weiteren zu sehen, daß der Titel *dajjānu* oft nur eine Funktionsbezeichnung zum Ausdruck bringt und kein Amt meint, da die mit dem Titel *dajjānu* bedachten Personen sonst als Gouverneur, Opferschauer, Kauffahrer oder Kurier bekannt sind.[77] Insofern läßt sich sagen: „Alle leitenden Zivilbeamten sind sowohl an der (Finanz-)Verwaltung wie an der Judikatur beteiligt."[78] Von hier aus gesehen, ist es dann auch verständlich, daß dem *kārum* juristische Kompetenz zukam. Hierunter ist das Handels- oder Finanzamt zu verstehen, oder aber auch die assyrische Händlerkolonie in Kleinasien.[79]

Königliche Offiziere als Richter (Militärgerichtsbarkeit). In den Festungen

---

[71] Vgl. *Kraus,* Briefe 1, Nr. 129.
  Zur Verbindung von Obmann der Kaufleute und Richtern vgl. *Walther,* Gerichtswesen 9f. 15.75–78.
[72] Vgl. *Kraus,* Briefe 1, Nr. 30, 24–25.
[73] Vgl. *Walther,* Gerichtswesen 7; *Krückmann,* art. Beamter 445f.
[74] Vgl. zur Übersicht *Walther,* ebd. 8–10.
[75] Vgl. ebd. 7; *Lautner,* Entscheidung 68–73; CAD D 33.
[76] Vgl. *Deller,* Rolle 649f.
[77] Vgl. *Krecher,* Rechtsleben 341.
[78] *Krückmann,* art. Beamter 445.
[79] Vgl. dazu *Walther,* Gerichtswesen 70–80; *Krückmann,* ebd. 446; *Jakobsen,* Democracy 161f; *Macdonald,* Assembly 518.

der assyrischen Könige waren die Offiziere sowohl mit der Militärverwaltung als auch mit rechtlichen Angelegenheiten beschäftigt. Hierbei ist zu beachten, daß sich der Begriff ‚Festung‘ *(birtu)* nicht nur auf den Militärstützpunkt alleine, sondern auch auf das Land außerhalb der Städte, welches von Festungen geschützt wurde, bezog.[80] Schon für die altassyrische Zeit lassen sich königliche Richter in Festungen nachweisen,[81] während nach den neuassyrischen Gerichtsurkunden, in denen der Titel *dajjānu* nicht mehr auftritt, hohe Beamte als Richter agieren.[82]

1.23 Die priesterliche Gerichtsbarkeit der Tempelgerichte

Aus der Zeit der 1. Dynastie von Babylon lassen sich Beispiele für eine Gerichtsbarkeit, die von Tempelrichtern verwaltet wurde, anführen. Dieser Tempelgerichtsbarkeit wurde vor allem durch die Reformmaßnahmen Hammurapis ein weitgehendes Ende bereitet, da er die Rechtsprechung in seiner Hand zusammenzog, so daß *A. Walther* feststellte, man könne „von einer Einordnung der Richter in das staatliche Gerichtswesen, aber nicht von einem Verschwinden der Tempelrichter reden".[83] Teilweise wird in der Forschung an dieser Stelle von einer Säkularisierung des Gerichtswesens gesprochen, genauer aber müßte man diesen Vorgang benennen als „transfer of authority from the hands of the temple to the control of the king".[84]

Mit dem Weiterleben der Tempelgerichtsbarkeit nach den Reformmaßnahmen Hammurapis hat sich *J. G. Lautner* auf der Basis der Delegation von Rechtsfällen an andere, lokale Behörden durch den König beschäftigt.[85] Auf dieser Verfahrensgrundlage kam es auch „zur Überweisung des Verfahrens an Tempelgerichte durch weltliche Richter".[86] Hiervon waren Fälle betroffen, die zu tun hatten mit Eidesleistung, Deklarationen vor einem Gott oder dem Bereich des Ordals.[87] Neben der Tempelgerichts-

---

[80] Vgl. *Weinfeld*, Judge 71f.
[81] Vgl. ebd.
[82] Vgl. *Deller*, Rolle 647–649; *Weinfeld*, ebd. 72.
[83] *Walther*, Gerichtswesen 191; vgl. dazu noch *Lautner*, Entscheidung 81; *Gamper*, Gott 29f; *Korošec*, Keilschriftrecht 133f; *Krecher*, Rechtsleben 341.
[84] *Harris*, Process 117; vgl. auch ebd. 120 und den gesamten Artikel zur sogenannten Säkularisation.
[85] Vgl. *Lautner*, Entscheidung 81–83.
[86] Ebd.
[87] Vgl. ebd. 59f. 81f; *Krecher*, Rechtsleben 342f; *Bottéro*, Ordalie 1028–1033.

barkeit finden sich auch Belege für Gerichte, die aus Tempelrichtern und weltlichen Richtern gemischt waren.[88]

2. Zur Gerichtsorganisation in Syrien-Kanaan

Im Unterschied zu Mari sowie Assur und Babylon sind die Angaben über eine Gerichtsorganisation in den syrisch-kanaanäischen Stadtstaaten recht spärlich. Es gibt nur wenige Indizien für ein Richterhandeln des Königs und seiner Beamten, so daß eine umfassende Darstellung der Gerichtsorganisation nicht gegeben werden kann. Besonders auffällig ist im Unterschied zu Assur und Babylon sowie zu Israel das Fehlen der Priester in den Bereichen Politik und Rechtsprechung.[89]
Was die Textbasis angeht, so ist man zum großen Teil auf ugaritische Texte angewiesen.[90] Deren grundsätzliche Schwierigkeit liegt aber darin, daß sie fast alle aus dem Archiv des königlichen Palastes kommen und insofern viele Dinge, die nicht über den Palast abgewickelt wurden, nicht oder kaum registriert sind.[91]
Wie schon in Mesopotamien läßt sich auch in Syrien-Kanaan eine Aufteilung der Rechtsprechung in einen gentilen (Älteste und Bürgerversammlung) und einen staatlichen (König und Beamte) Bereich verfolgen, wobei sich gerade im Bereich der Justiz eine Kooperation ergab.[92]

2.1 Die Gerichtsbarkeit der Ältesten und der Volksversammlung

In Analogie zu den Verhältnissen in Mesopotamien und Israel ist auch in Syrien-Kanaan eine Versammlung der Bürger zu erwarten, der ebenfalls ein Anteil an der Gerichtsbarkeit zukäme. Bislang gibt es aber kaum ugaritische Texte, die die Existenz einer derartigen Versammlung beweisen könnten.[93]
Zunächst einmal sind es die mythologischen Texte, die von einer Götter-

---

[88] Vgl. *Lautner*, Entscheidung 82f.
[89] Vgl. *Boyer*, Royauté 156.
[90] Vgl. noch die Rechtsdokumente aus Alalach bei *Wiseman*, Tablets, Nr. 6–17.
[91] Vgl. *Boyer*, Royauté 283.
[92] Zum Zusammenspiel von Dorf und Palast im Syrien des 2. Jahrtausends vgl. *Liverani*, Communautés de village passim.
[93] Vgl. grundlegend *Macdonald*, Assembly 515; *Heltzer*, Community 79.

versammlung in Ugarit sprechen,[94] eine Vorstellung, die der literarische Niederschlag menschlicher Erfahrungen mit dem syrisch-kanaanäischen Stadtkönigtum ist und die insofern als Widerspiegelung sozialer Verhältnisse in Ugarit verstanden werden kann,[95] so daß auch in den syrisch-kanaanäischen Städten eine als *puḫrum*, *pḫr* oder *mpḫrt* bezeichnete Versammlung anzunehmen ist.[96]

Für die Existenz einer Bürgerversammlung spricht auch die Tradition der städtischen Selbstverwaltung in Syrien-Kanaan in der zweiten Hälfte des zweiten Jahrtausends v. Chr.[97] Belege für repräsentative Institutionen und die Selbstverwaltung werden vor allem evident in den Dokumenten, die handeln von Klagen und gemeinsamer Verantwortlichkeit der gesamten Bürgerschaft in bezug auf politische, juristische und wirtschaftliche Belange.[98] In den Amarnabriefen existiert eine Reihe von Belegen für die Aktivität der Bürgerschaft als Institution in den Städten, die zeitweise keinen lokalen Herrscher hatten, bzw. in denen es kein Königtum gab,[99] wo deshalb die Regierungsautorität von der ‚Stadt‘ bzw. den ‚Männern‘ und den ‚Söhnen der Stadt‘ wahrgenommen wurde.[100] Der Palast war an der Bürgerversammlung durch den von ihm ernannten *ḫazannu* (Bürgermeister) beteiligt.[101]

Die juristische Kompetenz der Bürgerversammlung läßt sich durch eine Reihe verstreuter Angaben ersichtlich machen. So zeigt sich die Bürgerjustiz als Normalfall, da der Palast nur in Ausnahmefällen intervenierte: so bei Mord an Kaufleuten und beim Verbergen von Flüchtlingen.[102] Ein weiterer Grund für die Annahme, daß die Mehrzahl der anstehenden Rechtsfälle durch die Bürgerversammlung entschieden wurde, ist in der nur dürftig belegten Rolle des Königs als Richter zu sehen.[103]

Die Eigenständigkeit der Bürgerversammlung wird auch aufgrund anderer Angaben ersichtlich. Aus dem außergerichtlichen Bereich ist zu verweisen auf eine Anzahl von Abkommen zwischen den Männern von

---

[94] Vgl. dazu *Fabry*, sôd 108–112. 125f.
[95] Vgl. *Macdonald*, Assembly 517.
[96] Vgl. *Reviv*, Institutions 285 Anm. 1.
[97] Vgl. grundlegend ebd. passim und *Liverani*, Communautés de village 154–156.
[98] Vgl. *Reviv*, ebd. 284.
[99] Vgl. ebd. 285f.
[100] Vgl. hierzu und zum folgenden *Artzi*, Vox passim und *Liverani*, Communautés de village 155f.
[101] Vgl. *Liverani*, Royauté 346.
[102] Vgl. ebd. 333.
[103] Vgl. ebd.

Ugarit ohne Nennung des Königs und anderen Städten bzw. Königen,[104] die normale politische und wirtschaftliche Beziehungen sichern sollten. Auf der Basis dieser Verträge sind auch Urteile überliefert, die im Falle der Nichteinhaltung gefällt wurden. So ist mehrfach belegt, daß die Männer von Ugarit zu Strafen verurteilt wurden, weil auf ihrem Gebiet Kaufleute getötet und beraubt wurden.[105] Die hier genannten Urteile wurden von ausländischen Königen gefällt, die die Interessen ihrer Kaufleute im Ausland schützten. Auf ugaritischer Seite hatte der Statthalter *(šākin mati)* die gerichtliche Macht inne, wenn es um Angelegenheiten von Ausländern ging.

2.2 Die staatliche Gerichtsbarkeit: Der König und seine Beamten

Der König. Wenn von der Gerichtsbarkeit des Königs die Rede ist, so ist zu unterscheiden, ob von ihr in juristischen oder in mythologischen Texten gehandelt wird.

In den mythologischen Texten wird im Kontext der Herrscherideologie besonderer Wert gelegt auf das Rechtverschaffen des Königs für die Armen und Bedürftigen.[106] Erfüllte der König diesbezüglich an ihn gerichtete Erwartungen nicht, so konnte er aufgefordert werden, von seinem Thron zu steigen.[107] Der Bezug dieser mythologischen Texte zum Alltagsleben ist dadurch gegeben, daß in Rechtstexten mehrfach von dem Schutz die Rede ist, den der König Frauen und Witwen zukommen ließ, worin sich die Konkretisierung des idealen Herrscherhandelns zeigt.[108]

Von den mythologischen Texten sind die Rechtsfälle zu unterscheiden, die im täglichen Leben vorkamen und von denen Zeugnisse in den ugaritischen Geschäftsurkunden und den Texten juristischen Inhalts belegt sind. In diesem Kontext läßt sich über die forensische Kompetenz des Königs feststellen, daß seine Entscheidungen bei Streitfällen zwischen seinen Untertanen und den Behörden für beide Seiten verpflichtend waren.[109] Besonders deutlich zeigt sich die Stellung des Königs von Ugarit

---

[104] Vgl. dazu RS 17.146 (dazu *Reviv*, Institutions 291f), RS 18.115 (dazu *Reviv*, ebd.) und RS 17.230 (dazu *Reviv*, ebd. 294).
[105] Vgl. dazu RS 17.158 und RS 17.42 (dazu *Reviv*, ebd. 294f), RS 17.145 (dazu *Reviv*, ebd. 295) und RS 17.229 (dazu *Reviv*, ebd.).
[106] Vgl. KTU 1.17 V 7–8.
[107] Vgl. KTU 1.16 VI 33–34.37.46–47.
[108] Vgl. *Rainey*, Stratification 20f.
[109] Vgl. *Heltzer*, Organization 180; *Boyer*, Place 283.

im Hinblick auf seine Jurisdiktion in den ugaritischen Rechtsurkunden.[110] Bei Immobiliengeschäften wirkte sich das Lehensverhältnis zum ugaritischen König ebenfalls aus.[111] Alle Grundbesitztransaktionen auch außerhalb des Stadtstaates Ugarit fielen unter die direkte Jurisdiktion der Zentralregierung.[112] Einschränkend ist aber zu bemerken, daß es sich hierbei um notarielle Akte der königlichen Administration ohne forensische Implikation handelt.[113]

Eigentliche Gerichtsurteile nehmen in den ugaritischen Dokumenten nur einen kleinen Raum ein. Ein Großteil der Fälle bezieht sich auf die Herausgabe von Immobilien.[114] Daß der König ein Urteil fällte, ist an wenigen Stellen belegt,[115] allerdings ist grundsätzlich fraglich, ob sich der König wirklich mit diesen Fällen beschäftigt hat oder ob seine Anwesenheit nicht doch eher fiktiv war,[116] das Urteil also in seinem Namen gefällt wurde.

Infolge der politischen Abhängigkeit der syrisch-kanaanäischen Könige von den Herrschern Ägyptens, Mitannis und Hattis kam ihnen nur eine Stellung als ,kleiner König' zu, wobei diese Stellung auch Auswirkungen auf die Jurisdiktionskompetenz dieser Könige hatte, insofern dem Großkönig eine Stellung zukam als „le juge autorisé à juger les controverses entre les ,petits rois', ses serviteurs".[117] Infolgedessen konnte jeder syrisch-kanaanäische Kleinkönig der Gerichtsbarkeit eines Großkönigs unterworfen sein,[118] wofür die ugaritische Literatur einige Beispiele liefert. So wurden zwei Prozesse unter dem Vorsitz des Königs von Karkemiš abgehalten,[119] die von der Sache her einander ähnlich waren. In RS 27.051 wird der Gouverneur von Ugarit beschuldigt, den Bruder des Klägers in Gefangenschaft gebracht und ihn dort sterben gelassen zu haben. In RS 27.052 wird ein Gläubiger beschuldigt, den Bruder des Klägers widerrechtlich festgenommen zu haben. Läßt sich aufgrund der Textverderbnis

---

[110] Vgl. dazu *Thiel*, Entwicklung 53f; *Kienast*, Rechtsurkunden 439. Vgl. ebd. 433–435 zu den diversen Typen der Rechtsurkunden.

[111] Vgl. im Detail *Kienast*, ebd. 439.

[112] Vgl. *Buccellati*, Cities 43.

[113] Vgl. *Liverani*, Royauté 333.

[114] Vgl. RS 16.205; 16.245; 16.254; 16.356 und dazu *Boyer*, Place 284; *Miller*, Studies 264–273.

[115] Vgl. RS 16.254,6; 16.245,2'.

[116] Vgl. *Boyer*, Place 284.

[117] *Liverani*, Royauté 349. Zu Ugarit während dieser Zeit vgl. *Kinet*, Ugarit 26–43.

[118] Vgl. *Liverani*, ebd. 349.

[119] Vgl. RS 27.051; 27.052.

im ersten Falle nichts über das Zustandekommen des Urteils in Erfahrung bringen, so schreibt im zweiten Text der König vor, den Kläger „unter Eid zu setzen", was dieser aber ablehnte. Deshalb wurde der Angeklagte schuldlos gesprochen und dem Kläger verboten, einen Anspruch gegen ihn zu erheben.[120] Daß die Jurisdiktionskompetenz zwischen dem König von Ugarit und den anderen hethitischen Vasallenkönigen nicht immer klar war, zeigt RS 17.143. Ein Untertan des Königs von Karkemiš hatte einen Rechtsstreit mit einem Bürger von Sigammu. Deshalb wollte der König von Karkemiš den Fall vor den König von Ugarit bringen. Dieser aber zog es vor, den Fall vor den König von Sigammu zu bringen, der aber zu dem Schluß kam, daß der Beklagte kein Einwohner von Sigammu sei, sondern aus einer Grenzstadt zwischen Sigammu und Ugarit stamme. Deshalb ging der Fall wieder zurück an den König von Ugarit, da er nun doch unter dessen Jurisdiktion fiel.[121] Ähnlich, aber einfacher, liegt der in RS 17.83 geschilderte Fall. Untertanen des Königs von Ušnatu und des Königs von Ugarit hatten einen Rechtsstreit miteinander. Der König von Ušnatu erklärte sich bereit, die Frage direkt zu entscheiden, vorausgesetzt, die Untertanen des Königs von Ugarit kämen zum König von Ušnatu; andernfalls wolle er seine Untertanen zum König von Ugarit senden. Außerdem wolle er die Frage zwei Offizieren vortragen, die sich als Beamte des Königs von Ugarit am Hofe von Ušnatu aufhielten.[122] Aus Hazor ist aus der Zeit zwischen dem 18. und 16. Jh. ein Prozeßprotokoll belegt,[123] in dem es um ein Haus und einen Obstgarten geht, die in Hazor lagen, sowie um einen weiteren Obstgarten in einer Hazor benachbarten Stadt.[124] Dieser Streitfall wurde vor den König gebracht, der ein endgültiges Urteil durch die Bestimmung fällte, daß derjenige, der einen weiteren Prozeß in dieser Angelegenheit anstrengen wolle, 200 Schekel Silber zahlen soll.[125] Vergleicht man insgesamt die Stellung des Königs als Richter im spätbronzezeitlichen Syrien-Kanaan mit der entsprechenden Stellung des Königs im Gerichtswesen Mesopotamiens, so ergibt sich ein Schwinden seines

---

[120] Vgl. zu beiden Texten *Miller*, Studies 271–273.
[121] Vgl. dazu *Buccellati*, Cities 51.
[122] Vgl. dazu ebd. 50f.
[123] Vgl. *Hallo-Tadmor*, Lawsuit 2–4.
[124] Vgl. ebd. 8.
[125] Da das Verb in Zeile 8 nicht lesbar ist, kann hier *dīnu* oder auch *šemû* ergänzt werden (vgl. ebd. 9).

Einflusses in der Gerichtsorganisation,[126] ein Zug, der sich auch in der Abnahme der Ideologie des rechtverschaffenden Königs zeigt.[127] Hiermit liegt ein Charakteristikum vor, welches sich in Israel fortsetzt, wo sich der König erst allmählich einen Einfluß auf die Rechtspflege sichern konnte und die Ideologie des rechtverschaffenden Königs erst auftrat, nachdem der König die Gerichtsbarkeit unter seine Macht gebracht hatte.[128]

Der šākin mati. Bei ihm handelt es sich um den höchsten Beamten im Königreich von Ugarit, der als eine Art Gouverneur oder Vizekönig zu bestimmen ist.[129] Seine Rolle in Rechtsangelegenheiten wird in RS 17.288 deutlich, worin der König von Ušnatu an den *šākin mati* von Ugarit schreibt, daß er, der *šākin mati*, und nicht der König die Fälle der Bewohner von Aranya zu entscheiden habe.[130] Es handelt sich dabei um eine Diebstahlsangelegenheit von Ausländern, die in Aranya vorgefallen ist und die nun vom *šākin mati* gerichtet werden soll.

Daß sich der *šākin mati* mit Rechtsfällen von Fremden in Ugarit beschäftigte, zeigen auch die Briefe RS 17.393 und RS 20.239.[131] Es ist hieraus ersichtlich, daß die gerichtliche Macht wie die polizeilichen Funktionen in der Hand des *šākin mati* konzentriert waren, insbesondere, wenn es um Fremde ging.[132]

Die Richter. Der Richtertitel *dajjānu* ist in Ugarit nur in den akkadischen Rechtstexten belegt. Eine ugaritische Parallele dazu ist nicht bekannt, da sich der in den mythologischen Texten belegte Titel *ṯpṭ*, der den Herrscher bezeichnet, nicht als Parallelterminus heranziehen läßt.[133]

Daß ein dajjānu auftritt, ist in den Rechtstexten von Ugarit ähnlich selten wie in den Maribriefen. So ist in RS 16.156 die Rede von einem *dajjānu*, der als Zeuge auftritt, während aus dem Beleg in RS 16.132 nichts über die Rolle des *dajjānu* zu erschließen ist.[134]

---

[126] „Ainsi le rôle du roi en tant que juge, important dans d'autres temps et dans d'autres milieux, est évanescent en Syrie pendant l'âge du bronze récent, probablement du fait du désintéressement évident du roi" (*Liverani*, Royauté 333).

[127] Vgl. *ders.*, ΣΥΔΥΚ 61f.

[128] Vgl. *Niehr*, Herrschen 206–208.

[129] Vgl. die Darstellung seiner Funktionen bei *Heltzer*, Organization 142–149; zum Vizier vgl. ebd. 148, sowie *Alt*, Beamte passim; *Boyer*, Royauté 165; *Buccellati*, Cities 42f; *Rüterswörden*, Beamte 81–85.

[130] Vgl. *Heltzer*, ebd. 145.

[131] Vgl. *ders.*, Community 63–65. 79.

[132] Vgl. *ders.*, Organization 146; *Buccellati*, Cities 43 schreibt dem *šākin mati* nur beschränkte jurisdiktionelle Macht zu. Vgl. noch *Rüterswörden*, Beamte 83.

[133] Vgl. dazu *Niehr*, Herrschen 56–58 und *Heltzer*, Organization 166 Anm. 126.

[134] Vgl. dazu *Heltzer*, ebd. 166.

III. Gerichtsorganisation in Israel

1. Die Zeit der egalitären Stammesgesellschaft

1.1 Einleitung

Die aus der *social anthropology* belegte Konzeption der ,segmentären'
oder ,akephalen' Gesellschaft[1] wurde von *F. Crüsemann* als Verständnis-
modell für die vorstaatliche Zeit Israels in die alttestamentliche Exegese
eingeführt[2] und in der Folge auch von weiteren Exegeten und Historikern
aufgegriffen[3] sowie auch schon anfanghaft auf die Gerichtsorganisation
Israels angewandt.[4]
Einen ersten Einblick in die Frage, inwieweit sich die Annahme eines
segmentär verfaßten vorstaatlichen Israel auch in der Struktur des Rechts
nachweisen läßt, gewährt eine Übersicht zum ältesten hebräischen
Rechtskodex, dem Bundesbuch (Ex 20,22 – 23,19), welches zumindest in
einigen seiner rechtlichen Traditionen in die vorstaatliche Zeit hinab-
reicht, bzw. Zustände und Rechtsverhältnisse aus dieser Zeit spiegelt.[5]
Ein Vergleich des Bundesbuches mit dem Recht anderer segmentärer
Gesellschaften ergibt eine Reihe von Übereinstimmungen, von denen hier
nur einige, die für unser Forschungsinteresse von Relevanz sind, genannt
seien:
- Das Fehlen einer Zentralinstanz.[6]
- Das Fehlen von allgemein verbindlichen Rechtsinstanzen mit Sank-
  tionsgewalt.[7]

---

[1] Vgl. dazu *Sigrist*, Anarchie passim und *Wesel*, Frühformen 189–214.
[2] Vgl. *Crüsemann*, Widerstand 194–222.
[3] Vgl. *Lohfink*, Gesellschaften passim; *Thiel*, Entwicklung 106; *Schäfer-Lichtenberger*, Stadt 323–367; *Donner*, Geschichte Israels 1, 145–154; *Frick*, Formation
51–69; *Clauss*, Gesellschaft 4–9; *ders.*, Geschichte Israels 60–64; *Neu*, „Israel"
passim.
[4] Vgl. *Wilson*, Enforcing 66–75; *Schäfer-Lichtenberger*, ebd. 342–354; *Otto*, Stellung 284–287. Vgl. auch *Crüsemann*, Frau 42–51.
[5] Zur Genese des Bundesbuches sowie seiner zeitlichen Einordnung steht eine
umfassende Arbeit immer noch aus. Vgl. zur Entstehung und Schichtung des
Bundesbuches bes. *Halbe*, Privilegrecht 423–505. Aufgenommen wurde dieser
Ansatz bei *Wanke*, art. Bundesbuch 413f; *Scharbert*, Jahwe 174–178.
[6] Vgl. *Schäfer-Lichtenberger*, Stadt 346.
[7] Vgl. ebd. und *Clauss*, Gesellschaft 5.

– Das Fehlen familienrechtlicher Bestimmungen,[8] anstelle dessen aber eine Konfliktregelung zwischen Familien einer Rechtsgemeinschaft durch Selbsthilfe.[9]
– Die Verbindlichkeit des Rechts, welches nicht ein gesetztes Recht ist, sondern auf Herkunft und Sitte beruht, orientiert sich an der Tradition, was sich zeigt an der Verwendung des Rechtsterminus *mišpāṭ* in der Bedeutung von ‚Gewohnheit‘ oder ‚Gewohnheitsrecht‘.[10]
– Die kasuistischen Rechtsfälle beruhen auf Präzedenzfällen, die als Urteilsvorschläge dienen,[11] sowie als Streitbeendigungsvorschläge im schiedsgerichtlichen Verfahren.[12]

Neben dem Bundesbuch als ältestem Rechtskodex weist auch eine Reihe von Rechtsfällen auf das Vorliegen von Rechtsverhältnissen, wie sie sonst aus segmentären Gesellschaften bekannt sind.

So fällt in den Bereich des segmentären Rechts der Aspekt der außergerichtlichen Versöhnung von Täter und Opfer, wie er sich in einer Reihe von außergerichtlichen Streitfällen äußert: So zwischen Jakob und Esau (Gen 33), Jakob und Laban (Gen 31) sowie Josef und seinen Brüdern (Gen 45).[13]

Sich selber Rache verschaffen müssen die Brüder Dinas nach der Vergewaltigung ihrer Schwester (Gen 34). Der entscheidende Punkt dieser Erzählung besteht darin, daß es sich bei den Jakobleuten und Sichemiten um Vertreter zweier sozialer Gruppen – Hirten und Städter – handelt, die kein gemeinsames Rechtssystem anerkennen.[14]

Nach Ri 11,1–3 wird Jiftach von seinen Brüdern vertrieben, da er nur ein Halbbruder war. Es gab für ihn keine Möglichkeit, gegen die Rechtsautorität der Familie eine andere Rechtsinstanz anzurufen, vielmehr mußte er fliehen.[15] Im weiteren Verlauf der Jiftachgeschichte ist die Anklage, die er gegen die Ältesten vorbringt, aufschlußreich, da er ihnen den Vorwurf

---

[8] Ex 21,15.17 stellen einen späteren Nachtrag dar (s. u. Anm. 30).

[9] Vgl. *Eder*, Entstehung 159. 161f; *Otto*, Stellung 285f.

[10] Vgl. *Liedke*, Gestalt 56; *Niehr*, Herrschen 183. Zum Gewohnheitsrecht als typischem Rechtssystem vorhochkultureller Gesellschaften vgl. *Eder*, Entstehung 159 sowie die Diskussion bei *Wesel*, Frühformen 52–68. 334–337.

[11] Vgl. *Liedke*, Gestalt 55f; *Schäfer-Lichtenberger*, Stadt 346f.

[12] Vgl. *Köhler*, Mensch 150f; *Liedke*, ebd. 88f; *Otto*, Stellung 285; *Schäfer-Lichtenberger*, ebd. 347. Zur Streitschlichtung als typischer Rechtsform für vorhochkulturelle Gesellschaften vgl. *Eder*, Entstehung 159.

[13] Vgl. zu diesen Fällen *Albertz*, Täter 153–158.

[14] Vgl. *McKeating*, Development 48.

[15] Vgl. dazu *Schäfer-Lichtenberger*, Stadt 354.

macht, ihn aus seinem Vaterhaus vertrieben zu haben (Ri 11,7). Dies zeigt, daß die Gerichtsbarkeit der Familie nicht unterschieden wird von der der Ältesten, die sich aus den Familienhäuptern zusammensetzen. Weitere Rechtsfälle, die Eigenarten des segmentären Rechts veranschaulichen, liegen vor in Ri 17–18 und Ri 19–21.

So kann die Mutter, der 1100 Silberstücke gestohlen wurden, nur einen Fluch ausstoßen (Ri 17,1–6), eine Möglichkeit, das erlittene Unrecht einer Strafe zuzuführen, liegt nicht vor.[16] Ähnlich ist der Fall des Micha, der in der Einsicht, bei der Diebstahlsangelegenheit der schwächere Teil zu sein (Ri 18,22–26), auf Gewaltanwendung verzichtet und somit seinen Eigentumsanspruch aufgibt.[17] In Ri 19–21, einem Text, dem als historischer Kern ein Blutfehdekonflikt zwischen den Stämmen Benjamin und Efraim zugrundeliegt, zeigt sich, daß innerhalb des Stammes, wie hier im Falle der Blutrache, eine militärische Beistandspflicht für bedrohte Sippen existiert. Dies verdeutlicht, wie im Rahmen der segmentären Gesellschaft die genealogisch bestimmten Gemeinschaftsgrenzen auch Solidaritätsgrenzen sind und es jenseits dieser Grenze nur Feindschaft gibt.[18] Des weiteren zeigt Ri 21,15–25, daß es auch zwischen den Stämmen „eine Solidaritätsverpflichtung der Konfliktbegrenzung [gab], insofern das Überleben des befehdeten und besiegten Stammes gesichert werden mußte".[19] Ebenso verdeutlicht Ri 19–21 mit der Erzählung der Schandtat von Gibea und deren Konsequenzen, wie das Rechtssystem innerhalb eines Stammes zusammenbricht, da die Stadt nicht den Täter ausliefert, sondern auf seiten des Täters steht und sich auch nachher der Stamm, zu dem die Stadt gehört, auf die Seite der Stadt stellt, was letztlich einen Stammeskrieg gegen Benjamin auslöst.[20] In der Königszeit sollte durch diese Erzählung demonstriert werden, daß das Rechtssystem der vorstaatlichen Zeit nicht funktionierte,[21] worauf sich auch die Hinweise beziehen, daß es in jener Zeit noch keinen König in Israel gab und jeder tat, was ihm gefiel.[22]

---

[16] Vgl. zum Fall ebd. Zum Fluch als Rechtsbehelf für den einzelnen vgl. *Horst*, Diebstahl 169; ders., Eid 296. 310 und *Schottroff*, Fluchspruch 216f.

[17] Vgl. *Schäfer-Lichtenberger*, Stadt 354.

[18] Vgl. *Otto*, Stellung 285 Anm. 4. Zum Hintergrund von Ri 19–21 vgl. bes. *Jüngling*, Richter 19 und *Halbe*, Gemeinschaft 66–72.

[19] *Otto*, Stellung 285 Anm. 4.

[20] Vgl. *McKeating*, Development 48.

[21] Vgl. ebd. und bes. *Jüngling*, Richter 19, S. 292f.

[22] Vgl. Ri 17,6; 19,1; 21,25.

Da während der Monarchie „die auf verwandtschaftlich egalitärer Organisation beruhende Grundstruktur der Gesellschaft noch eine Zeitlang erhalten blieb",[23] ist es nur konsequent, daß sich auch in Rechtserzählungen aus der Königszeit noch Spuren segmentären Rechts zeigen.[24]

1.2 Träger der Rechtsprechung

Hier ist auf Texte einzugehen, die, obwohl in staatlicher Zeit abgefaßt, Rechtspraktiken der vorstaatlichen Zeit widerspiegeln.[25] Hinsichtlich der Organisation des vorstaatlichen Israel besteht der Hintergrund der meisten Texte in Familiengeschichten, die bestimmte Rechtsstrukturen erkennen lassen. In dem hiermit angesprochenen gentilen Rechtskreis ist eine Zweigliederung der Gerichtsbarkeit zu unterscheiden. Auf der einen Seite gibt es die Großfamilie mit drei bis vier Generationen, an deren Spitze der pater familias steht, und auf der anderen Seite die Sippe, die die verwandten Häuser umfaßt und an deren Spitze die Familienhäupter als Sippenälteste stehen.[26]

Die Stellung des pater familias läßt sich folgendermaßen charakterisieren: „Er besaß die Entscheidungsbefugnis über alle die Gemeinschaft betreffenden Fragen, nahm das Eigentumsrecht wahr und übte die Jurisdiktion über alle Glieder der Familie aus. Er war also die das Zusammenleben in der Großfamilie regelnde und ordnende Autorität."[27] Es ist damit zu rechnen, daß sich das monarchische Patriarchat erst in der Phase der Ansiedlung und des seßhaften Lebens ausbildete; die verheirateten Brüder und Söhne des Patriarchen sorgten für die ihnen untergebenen Kleinfamilien.[28]

1.21 Jurisdiktion des pater familias

Von der jurisdiktionellen Autorität des pater familias ist in Rechtstexten wie in erzählenden Texten die Rede. Von den erstgenannten ist zunächst

---

[23] *Clauss*, Gesellschaft 16.
[24] Vgl. dazu *McKeating*, Development 52f; *Schäfer-Lichtenberger*, Stadt 353f.
[25] Vgl. Anm. 24 und die Überlegungen bei *Thiel*, Entwicklung 31f.
[26] Vgl. dazu *Liedke*, Gestalt 40; *Thiel*, ebd. 41f; *de Geus*, Tribes 134–141. Zur Diskussion um den Umfang der Familie in vorstaatlicher Zeit vgl. zuletzt *Lemche*, Sociology 52.56f und dagegen zu Recht *Otto*, Geschehen 74–80.
[27] *Thiel*, ebd. 41.
[28] Vgl. ebd.

das Bundesbuch (Ex 20,22 – 23,19) daraufhin zu befragen, wo und inwieweit in ihm die Jurisdiktionskompetenz des pater familias angesprochen wird.

Der Einstieg soll gewählt werden über die in Ex 21,2–27 gesammelten Fallentscheidungen, die in die zweite Ausbaustufe des Bundesbuches gehören.[29] Da die darin enthaltenen VV. 15.17 mit ihren familienrechtlichen Bestimmungen als späterer Einschub zu bestimmen sind,[30] ist festzuhalten, daß im Bundesbuch zunächst ein eigenes Familienrecht fehlt,[31] was dadurch erklärbar ist, daß „Auseinandersetzungen in der Familie... rechtlich noch nicht existent [sind]",[32] oder anders gesagt: Da in der vorstaatlichen Zeit für das Familienrecht noch weitgehend der pater familias zuständig war, „bestand deshalb wenig Anlaß, diesbezügliches in die Rechtssammlungen aufzunehmen".[33] Auch die Bestimmungen von Ex 22,15f stellen kein Beispiel für ein Familienrecht dar,[34] da es hierin um eine Konfliktregelung zwischen unterschiedlichen Familien geht.[35]

Ein kodifizierter Bereich der Jurisdiktion des pater familias ist in den Sklavengesetzen des Bundesbuches gegeben (Ex 21,2–6.7–11).[36] Hierin zeigt sich, daß der pater familias keine absolute Vollmacht über seine Sklaven hat, vielmehr haben diese hinsichtlich ihrer Stellung und Behandlung gewisse Rechte. Andererseits werden die Sklaven als Teil des persönlichen Eigentums ihres Besitzers angesehen,[37] weshalb es der Besitzer ist, der entschädigt wird, falls ein stößiges Rind einen Sklaven oder eine Sklavin getötet hat (Ex 21,32). Ebenso ist die Selbstverpflichtung eines Sklaven (Ex 21,5f) eine Rechtssache, die nur den Herrn und seinen Sklaven, nicht aber die öffentliche Gerichtsbarkeit angeht, da der Sklave in der Versammlung der Bürger keinen Status hat. Der Aspekt des Privateigentums wird besonders dadurch beleuchtet, daß, wenn der Herr seinem Sklaven eine Frau gegeben hatte, Frau und Kinder dem Herrn gehören, während der Sklave nach Ablauf seiner Dienstzeit alleine gehen

---

[29] Vgl. *Halbe*, Privilegrecht 459–482.
[30] Vgl. dazu *Alt*, Ursprünge 310f; *Boecker*, Recht 119; *Schäfer-Lichtenberger*, Stadt 346 Anm. 66.
[31] Vgl. *Paul*, Studies 43f.
[32] *Schäfer-Lichtenberger*, Stadt 346.
[33] *Boecker*, Recht 120; vgl. auch *Otto*, Stellung 286.
[34] Gegen *Boecker*, ebd. und *Crüsemann*, Frau 22.
[35] Vgl. *Otto*, Stellung 286.
[36] Vgl. hierzu bes. *Cardellini*, „Sklaven"-Gesetze 239–268.
[37] Vgl. zum folgenden *Phillips*, Aspects 356–358.

muß (Ex 21,4). Allerdings hat der pater familias auch wiederum keine absolute Vollmacht seinem Sklaven gegenüber, da er die Rechte einer als Frau eines Sklaven verkauften israelitischen Tochter[38] respektieren muß[39] (Ex 21,7–11), andernfalls sie gehen darf. Ebensowenig darf der Herr seinen Sklaven und seine Sklavin[40] einfach totschlagen, da diese gerächt werden müssen (Ex 21,20), bzw. er sie im Falle der Körperverletzung freilassen muß (Ex 21,26f). Somit zeigt sich schon im Bundesbuch ein Eingriff in die Vollmacht des pater familias durch die Torgerichtsbarkeit, in der die hier genannten kasuistischen Rechtssätze des Sklavenrechts ihren Sitz haben.

Die familienrechtlichen Bestimmungen des Bundesbuches in Ex 21,15.17 gehören zu einer jüngeren Schicht. An beiden Stellen wird partizipial formuliert:

> Und wer seinen Vater oder seine Mutter schlägt,
> soll unbedingt sterben.

> Und wer seinen Vater und seine Mutter verflucht,
> soll unbedingt sterben.

Es ist bei der Analyse dieser Sätze von der Einordnung des partizipialen Satztyps als apodiktischem Rechtssatz auszugehen,[41] von dem gilt, daß er von der höchsten Autorität eines Rechtskreises gesetzt wird.[42] „So begrenzt ein Übergeordneter mit dem apodiktischen Rechtssatz den Aktionsradius der ihm Untergeordneten; der apodiktische Rechtssatz markiert diese Grenze und bestimmt die Folgen ihrer Überschreitung."[43] Näherhin handelt es sich bei den Rechtssätzen Ex 21,15.17 um eine Deklaration der Todesverfallenheit, mit der zum Ausdruck gebracht wird, „daß das Verhältnis zwischen Tatbestand und Todesfolge kein

---

[38] Vgl. zu dieser Klärung des Sachverhalts von Ex 21,7 *Cardellini*, „Sklaven"-Gesetze 252f.

[39] Wie *Cardellini*, ebd. 255 für Ex 21,8aβγbβ herausgearbeitet hat, entfernt sich diese Bestimmung über die Freilassung der Frau „von der Vollmacht des (Ehe-)Herrn über seine (Neben-)Frau".

[40] Es ist auf die Unterschiede bei der Verwendung der Termini 'āmāh und ʿaebaed in den Sklavengesetzen des Bundesbuchs zu achten, da die Termini teilweise wie in keilschriftlichen Rechtstexten echte Sklaven, zum Teil aber auch bei ihren Volksgenossen versklavte Israeliten meinen (vgl. *Cardellini*, ebd. 268).

[41] Vgl. *Liedke*, Gestalt 120.

[42] Vgl. ebd. 125.

[43] Ebd.

Kausalverhältnis, sondern ein Rechtsverhältnis ist, in dem dem Täter die durch seine Tat wirksame Todessphäre angekündigt wird".[44] Dementsprechend gilt, daß hinter diesen Rechtssätzen die Autorität des pater familias steht, der innerhalb der Familie die höchste Rechtsautorität genießt.[45] Inhaltlich gesehen handelt es sich bei den in Ex 21,15.17 aufgezählten Vergehen und ihren Strafen nicht um den Rechtstatbestand der Blutrache, da diese nicht innerhalb einer Familie möglich ist, sondern nur zwischen verschiedenen Familien. Vielmehr geht es um einen innerfamiliären Rechtsbruch, der durch den Vater abgeurteilt wird.[46] Vergleichbar ist hiermit der in Ex 21,12 geschilderte Blutfall:

Wer einen Menschen (so) schlägt, daß er stirbt,
soll unbedingt sterben.

Dieser Blutfall ist deshalb als innerfamiliär anzunehmen, da bei einem Mörder aus einer anderen Familie die Blutrache einträte. Da aber die Deklaration der Todesverfallenheit geäußert wird, handelt es sich um einen Mörder aus der engeren Familie.[47] An diesem Text zeigt sich auch das rechtsgeschichtlich jüngere Alter der familienrechtlichen Bestimmungen von Ex 21,12–14, da in den älteren segmentären Gesellschaften Totschlag und Körperverletzung unter Verwandten nicht geahndet, sondern als Unfälle betrachtet werden.[48] Der Mörder schadet sich selbst durch den von ihm herbeigeführten Tod eines Verwandten, da er seine eigene Gruppe schädigt.[49] Dieser Rechtszustand ist in Ex 21,12–14, wo die Familiengerichtsbarkeit des pater familias für den Fall des innerfamiliären Mordes oder Totschlags thematisiert wird, bereits verlassen. Es wird sogar dem Vater die Möglichkeit, den Sohn zu töten, eingeräumt, eine Möglichkeit, die eine Ausnahme in den rechtlichen Möglichkeiten eines pater familias darstellt, da sonst der Vater nicht ohne weiteres das Recht hat, über Leben und Tod seiner Kinder zu entscheiden.[50]

---

[44] *Schulz*, Todesrecht 77. Dies spricht gegen eine Verwendung dieser Sätze in der Torgerichtsbarkeit (gegen *Schottroff*, Fluchspruch 127f). Zur Nichteignung des apodiktischen Rechts für die Gerichtsbarkeit vgl. *Alt*, Ursprünge 322–324.
[45] Vgl. *Liedke*, Gestalt 131f.
[46] Vgl. ebd. 132. Zum rechtlichen Hintergrund des Todesrechts vgl. *Schottroff*, Fluchspruch 120–129.
[47] Vgl. *Liedke*, ebd. 133f.
[48] Vgl. *Schäfer-Lichtenberger*, Stadt 353.
[49] Vgl. *Eder*, Entstehung 161f.
[50] Zu Gen 38 s. u.

Wie Ex 21,12 ist auch Ex 21,16 im innerfamiliären Rahmen anzusiedeln:

> Wer einen Menschen raubt,
> sei es, daß er ihn verkauft hat,
> sei es, daß man ihn in seiner Gewalt findet,
> soll unbedingt sterben.

Als der in diesem Rechtsfall Geschädigte ist der pater familias anzusehen, nicht aber der geraubte Mensch, so daß mit der Deklaration der Todesverfallenheit die Stellung des pater familias gestützt werden soll.[51]

Ein ähnliches Licht auf die Stellung des pater familias wirft das in die Torgerichtsbarkeit gehörende kasuistische Gebot Ex 22,15f, in dem die Verführung eines noch nicht verlobten Mädchens thematisiert wird:

> Und wenn ein Mann eine nicht verlobte Jungfrau verführt
> und mit ihr schläft,
> dann soll er den Brautpreis zahlen und sie zur Frau nehmen.
> Wenn sich der Vater aber weigert, sie ihm zu geben,
> dann soll er Geld bezahlen, wie der Brautpreis für Jungfrauen.

Es fällt bei diesen Bestimmungen auf, daß sich der Rechtsvorgang nur zwischen den beiden betroffenen Männern abspielt, wie auch die Entschädigung nur an den Vater gezahlt wird und nicht an das Mädchen, welches hier das Objekt des Rechtsgeschehens ist. Damit zeigt sich, daß im Falle der Verführung einer Nichtverlobten das Besitzrecht des pater familias tangiert ist.[52] In Übereinstimmung steht hiermit das Recht des Vaters, die Heirat der Tochter zu verweigern. Fragt man nach dem dahinterstehenden Funktionieren der Rechtsordnung, so läßt sich sagen: „Der Konfliktfall zwischen zwei Männern unterschiedlicher Familien wird also so gelöst, daß das Recht des Geschädigten wiederhergestellt wird."[53] Darüber ist aber auch der Aspekt des der Tochter durch den pater familias gewährten Rechtsschutzes nicht zu übersehen, ein Aspekt, der in anderen Texten noch deutlicher angesprochen wird.

Das in Ex 22,15f sich zeigende Verhältnis zwischen den Familien basiert auf internalisierten Solidarnormen, deren Bruch durch die Beteiligten sanktioniert werden kann.[54] Dies verweist auf eine segmentäre Gesell-

---

[51] Vgl. *Liedke*, Gestalt 133.
[52] Vgl. dazu *Otto*, Stellung 284.
[53] Ebd. 284f.
[54] Vgl. ebd. 285f.

schaft als Horizont dieser Rechtsordnung, da auch hier eine zentrale Gerichtsbarkeit fehlt. Dennoch liegt es im Interesse der Gesellschaft, „eine Institution der Konfliktregelung zu schaffen, die es unter Beteiligung der Gemeinschaft ermöglicht, im Konfliktfall die gegenseitigen Sanktionen im Interesse der Gemeinschaft gering zu halten".[55] Die in Ex 22,15f deutlich gewordene Rechtsstellung des pater familias schlägt auch durch in den kasuistischen Verletzungsbestimmungen von Ex 21,22. So soll der Ehemann einer schwangeren Frau, die durch den Stoß eines anderen Mannes eine Fehlgeburt erlitten hat, dem Täter eine Buße auferlegen, da auch in diesem Falle das Besitzrecht des Ehemannes berührt ist, weshalb ihm ein Ausgleich für den erlittenen Schaden zu leisten ist. Die körperlich in Mitleidenschaft gezogene Frau kommt als Rechtssubjekt nicht eigens in Betracht, steht aber auch hier wiederum unter dem Rechtsschutz ihres Mannes.

Zur weiteren Klärung der Jurisdiktionskompetenz des pater familias gibt der Bereich der frühen Rechtskorpora keine weiteren Auskünfte. An dieser Stelle muß man sich nun den Patriarchenerzählungen zuwenden, wobei zu berücksichtigen ist, daß sie Einblicke in rechtliche Strukturen nur am Rande gewähren.

Gen 16,1–6 gehört, formal-rechtlich gesehen, in die Textkategorie der Appellation des Beschuldigers.[56] Sarai, die Frau des Patriarchen Abram, sieht sich von ihrer Magd Hagar zu Unrecht herabgesetzt, da diese im Unterschied zu ihrer Herrin fruchtbar und infolgedessen schwanger ist (VV. 3–4). In dieser Situation wendet sich Sarai mit einer Formel aus der alten Familien- und Sippengerichtsbarkeit an Abram[57]: $h^a m\bar{a}s\hat{\imath}$ $^c\bar{a}l\bar{e}k\bar{a}$. Hiermit ist der pater familias als Wahrer der Rechtsinteressen seiner Familienangehörigen, in diesem Falle seiner Frau, angesprochen. Es werden in dieser Appellation das der Frau geschehene Unrecht *(hāmas)* sowie die Verantwortung des pater familias *(^{c}ālēkā)* für die Wiederherstellung des Rechts genannt.[58] Zu übersetzen ist diese Redewendung der Rechtssprache mit: „Das Unrecht, das mir angetan ist, liegt dir auf."[59] Nach der anschließenden Schilderung des Rechtsfalls (V. 5b) fällt Abram das Urteil, daß die Magd in Sarais Hand sei und diese mit ihr tun könne, was sie

[55] Ebd. 286.
[56] Vgl. dazu *Boecker*, Redeformen 57–61 und zur Struktur *Niehr*, Herrschen 91.
[57] Vgl. dazu *Boecker*, ebd. 60.
[58] Vgl. ebd.
[59] So mit *von Rad*, Das erste Buch Mose 162; *Boecker*, Redeformen 60. Vgl. dazu noch *Haag*, art. *ḥāmās* 1059f.

wolle (V. 6). Ein Prozeß im eigentlichen Sinne wird in diesem innerfamiliären Rahmen nicht geführt, was auch daran erkennbar ist, daß auf die Appellation hin das Urteil gefällt wird.

Ein weiterer Rechtsfall, in dem eine Frau dem Urteil des pater familias untersteht, liegt in Gen 38 vor. Der Witwe Tamar wird entgegen dem Versprechen ihres Schwiegervaters sowie gegen geltendes Recht die Leviratsehe mit ihrem Schwager verweigert. Deshalb läßt sie sich, als Dirne verkleidet, von ihrem Schwiegervater Juda schwängern, dem anschließend von der Schwangerschaft seiner ledigen Schwiegertochter berichtet wird, woraufhin er als Straffolgebestimmung ihre Todesverfallenheit ausspricht (V. 24). Als er aber erkennen muß, daß er selber Tamar geschwängert hat, bekennt er: „Sie ist gerecht – ich bin es nicht"[60] (V. 26). Rechtlich gesehen, fällt in dieser Erzählung auf, daß der pater familias kein Urteil fällt, sondern eine Straffolgebestimmung erläßt, was mit seiner Stellung als pater familias zusammenhängt, der bei einem innerfamiliären Rechtsfall keine ausdrückliche Schuldigerklärung abgeben muß.[61] Hinsichtlich der Jurisdiktionskompetenz des pater familias wird Gen 38,24 zum Beleg dafür herangezogen, daß der Vater über Leben und Tod seiner Familienangehörigen entscheiden konnte.[62] Hiergegen spricht allerdings, daß vieles in Gen 38 zu unklar ist, um hierauf weitere rechtliche Vermutungen aufbauen zu können. So ist fraglich, ob ein Fall des Familienrechts[63] oder ein Fall von Ehebruch vorliegt, falls Tamar eher als die Schela versprochene Frau denn als Witwe angesehen wurde.[64] Das Verbrennen als Strafe für den Ehebruch ist sonst nicht belegt, wohl aber als Strafe für die Blutschande (Lev 20,14), aber in diesem Fall hätte auch der Mann diese Strafe erleiden müssen. In späterer Zeit ist die Steinigung die Strafe für den Ehebruch, diese Bestrafung wird aber durch die Gemeinde vollzogen.[65] Denkt man zurück an das Bundesbuch, wo einerseits die Fälle eines Todesurteils in der Familiengerichtsbarkeit genau festgesetzt waren,[66] andererseits sogar der durch seinen Herrn verschuldete Tod eines Sklaven gerächt werden mußte (Ex 21,20), dann wird man unter Berücksichtigung

---

[60] Vgl. zur Übersetzung bes. *Koch*, SDQ 71f; *Horst*, Hiob 74f; *Boecker*, Redeformen 126–128.

[61] Vgl. *Boecker*, ebd. 127.

[62] Vgl. z.B. *Kornfeld*, Adultère 95; *Whitelam*, King 40; *Albertz*, Täter 149.

[63] So *Gaudemet*, art. Familie 300.

[64] So *Phillips*, Example 243; *Boecker*, Redeformen 127.

[65] Vgl. Lev 20,10; Dtn 22,22.

[66] Vgl. Ex 21,12.15.16.17.

des rechtlich nicht eindeutigen Sachverhaltes von Gen 38 nicht mehr ohne weiteres eine absolute Vollmacht des pater familias über Leben und Tod seiner Familienangehörigen behaupten können.[67]

Ein anderer Aspekt der Jurisdiktionskompetenz der Familienvorsteher findet sich im Konflikt zwischen Großfamilie und Kleinfamilie, beide angeführt durch ihren jeweiligen Patriarchen bzw. Familienvater. In Gen 31,25–42 tritt zunächst Laban als Kläger (VV. 26.30) und dann als möglicher Richter (V. 29) auf.[68] Gleichzeitig aber nimmt Jakob dessen Jurisdiktionskompetenz nicht hin, da er an seine Brüder appelliert (VV. 32.37). Hiermit werden die männlichen Verwandten als neue Gerichtsautorität benannt, und Laban ist als Kläger angesprochen, der nun seine Klage vor Unparteiischen beweisen muß.[69] Hinsichtlich der rechtlichen Konstellationen in dieser Erzählung ist festzuhalten: Laban fungiert als Kläger, insofern er der Bestohlene ist; qua pater familias aber gleichzeitig auch als Richter. Ebenso ist Jakob als Vater der Kleinfamilie zunächst verantwortlich für den Diebstahl, den jemand aus seiner Kleinfamilie begangen hat (V. 30), und somit Laban gegenüber der Beschuldigte. Den Seinen gegenüber aber ist er Richter (V. 32), da er der Familienvater ist, und in dem von ihm angerufenen und somit erst konstituierten Gerichtsforum der Brüder tritt er als Kläger auf (V. 36f). Eine von vornherein festgelegte und konstant bleibende Rollenverteilung existiert nicht; im Laufe des Verfahrens ergeben sich völlig neue Konstellationen.[70] Darauf läuft auch die Gerichtsgeschichte Gen 31,25–42 hinaus, deren Intention es ist, „legally to establish a new family unit, to be governed henceforth by a new *pater familias* (Jacob)".[71]

Ein weiterer Beleg für die rechtliche Vollmacht des pater familias liegt vor in der Josefserzählung (Gen 37), allerdings wurde dieser rechtliche Zug der Erzählung bisher kaum zur Kenntnis genommen.[72] Nach dem Verkauf Josefs (V. 28) wird sein zerrissenes und mit Blut beflecktes Kleid seinem Vater gebracht (VV. 31f), damit dieser anerkennt, daß es sich um das Kleid seines Sohnes handelt. Der pater familias fällt daraufhin die

---

[67] Vgl. *Phillips*, Aspects 361. Auch Gen 42,37 (so *Thiel*, Entwicklung 114) ist kein Beweis für eine derartige Vollmacht des pater familias.

[68] Vgl. *Mabee*, Jacob and Laban 198; *Salmon*, Authority 27f.

[69] Vgl. *Mabee*, ebd. 196.

[70] Vgl. auch die prophetischen Texte Jes 5,1–7; Hos 2,4–15; 4,4–6 zur Personalunion von Richter und Kläger, bzw. Richter und Angeklagtem.

[71] *Mabee*, Jacob and Laban 205; vgl. auch *Whitelam*, King 40f.

[72] Vgl. hierzu *Daube*, Law 1–12.

Entscheidung. „Das Kleid meines Sohnes ist es. Ein wildes Tier hat ihn gefressen. Zerrissen, zerrissen ist Josef" (V. 33). Durch diese Feststellung werden andere Möglichkeiten des Verschwindens seines Sohnes, wie etwa Mord oder Menschenraub (vgl. Ex 21,16), ausgeschlossen. Das zur Anerkennung des Sachverhaltes verwendete Verb *nākar* H (VV. 32f) ist ein juristischer Terminus technicus;[73] ebenso tritt das Verb zur Bezeichnung des Zerrissenwerdens durch wilde Tiere *(ṭārap)* im juristischen Kontext auf (Ex 22,12). Der pater familias fungiert als Richter, der festlegt, um welchen Fall des Verschwindens einer Person es sich handelt. Auf einen anderen Aspekt der Jurisdiktionskompetenz des pater familias wirft Ri 19,1–10 ein Licht, da hier der durch den pater familias gewährte Rechtsschutz angesprochen wird; ein Aspekt, der sich schon im Bundesbuch (Ex 22,15f) und in den Patriarchenerzählungen (Gen 16,1–5) gezeigt hatte. In der Erzählung Ri 19,1–10 geht es um den Rechtsschutz für die bereits als Nebenfrau verheiratete Tochter. Diese wird nach ihrer Heirat, an den Stellen, wo es um ihr Verhältnis zu ihrem Vater geht, als *naꜥrāh* bezeichnet,[74] woraus deutlich wird, daß die verheiratete Frau eine doppelte Rechtsstellung als Ehefrau und Tochter innehatte.[75]

Dieser Rechtsschutz durch den Vater, den die schon verheiratete Frau noch in Anspruch nehmen kann, zeigt sich in der Königszeit in der Bestimmung von Dtn 22,13–21, derzufolge eine Frau, die von ihrem Manne beschuldigt wird, ihre Jungfräulichkeit schon vor der Ehe verloren zu haben, von ihren Eltern durch eine Klage vor dem Ältestengericht in Schutz genommen werden kann.[76]

1.22 Jurisdiktion der Ältesten

Schon für die vorstaatliche Zeit ist neben der Jurisdiktion des pater familias auf eine Gerichtsbarkeit durch die Ältesten hinzuweisen. Hierauf deuten einige Indizien sowohl in Rechtstexten wie in Erzählungen.

So zeigte sich schon in den Erzählungen, daß Jakob in seiner Auseinandersetzung mit Laban dessen Autorität als pater familias und insofern als

---

[73] Vgl. ebd. 5–10.
[74] Vgl. Ri 19,3.4.5.6.8.9.
[75] Vgl. *Stähli*, Knabe 226–228.
   Im Unterschied zum Rechtsschutz zeigt sich im Fortlauf der Erzählung von Ri 19 auch die Verfügungsgewalt des pater familias über seine Kinder (V. 24) und seine Frau (V. 25). Vgl. hierzu auch Gen 19,8; 42,37.
[76] Vgl. *Stähli*, ebd. 229f und *Locher*, Ehre 385.

Richter nicht einfach hinnimmt, sondern an eine Rechtsgemeinde appelliert (Gen 31,32.37). Die schiedsrichterliche Tätigkeit der somit angesprochenen Brüder wird mit dem Verb *jākaḥ bîn* ,sagen, was recht ist‘[77] bezeichnet. In der hier vorliegenden Appellation des Beschuldigten fordert Jakob das Gericht auf, ihm zu seinem Recht zu verhelfen, nachdem er die gegen ihn gerichtete Anschuldigung zurückgewiesen hat.

Begibt man sich in den Bereich der Rechtstexte, so zeigt sich, daß die Einschränkung der Jurisdiktion des pater familias in den kasuistischen, der Torgerichtsbarkeit zuzuweisenden Rechtssätzen des Bundesbuches, wie sie in den Bestimmungen über die Sklaven[78] und die Verführung einer Jungfrau[79] ersichtlich wurde, einen weiteren Hinweis auf eine außerfamiliäre Gerichtsbarkeit darstellt.

Rechtskonstellationen außerhalb der Familie sind auch in Ex 21,18f, dem Fall des Streites zweier Männer, von denen einer krankgeschlagen wird, gegeben. Der Schläger ist in diesem Falle unschuldig, soll aber für die Arbeitsunfähigkeit des anderen Ersatz leisten. Da ein innerfamiliärer Streitfall nicht derart judikabel ist, liegt hier ein Fall zwischen Männern aus verschiedenen Sippen vor, der durch die Ältestengerichtsbarkeit zu entscheiden ist.[80]

Einen Grenzfall zwischen der Gerichtsbarkeit des pater familias und der der Ältesten schildert Ex 21,20f: Stirbt der von seinem Herrn geschlagene Sklave, so muß er gerächt werden, womit der Bereich der familiären Gerichtsbarkeit verlassen ist. Bleibt aber der Sklave am Leben, so trifft den Täter keine Rache, da es um das Geld des Täters geht, er sich also selbst geschädigt hat. Das heißt, daß im Falle eines Totschlages die Jurisdiktionskompetenz des pater familias zugunsten der Ältestengerichtsbarkeit verlassen wird.[81]

Ebenso ist der Fall von Körperverletzung durch Haustiere gerichtlich zu klären (Ex 21,28–32), worauf vor allem der Terminus *nāqî* zur Bezeichnung der Straffreiheit des Besitzers hinweist (V. 28).[82]

Ebenso können auch die mit dem Verb *šālem* D formulierten Streitbeendigungsvorschläge des Bundesbuches als Hinweis auf die Existenz einer

---

[77] Vgl. dazu *Boecker*, Redeformen 45–47; *Liedke*, art. *jkḥ* 730.
[78] Vgl. Ex 21,2–11.20f.26f.
[79] Vgl. Ex 22,15f.
[80] Vgl. *Liedke*, Gestalt 47f; *Fensham*, Nicht-Haftbar-Sein 22.
[81] Vgl. *Liedke*, ebd. 48f; *Fensham*, ebd. 24f.
[82] Vgl. dazu *Fensham*, ebd. 25–27.

Ältestengerichtsbarkeit verstanden werden.[83] Hierunter fallen Rechtsfälle zwischen verschiedenen Familien, in denen es um Ersatzleistungen bei Schädigung durch fremdes Vieh und bei Viehdiebstahl geht.[84] Ex 22 weitet den Bereich der Schlichtungsbefugnisse der Ältestengerichtsbarkeit aus auf die Ersatzleistung durch einen Dieb (VV. 1–3), Ersatz bei fahrlässigem Feldbrand (VV. 4–5) und das Haftbarsein für fremdes Eigentum (VV. 6–14).

Ein weiteres Indiz für die Existenz einer Rechtsgemeinde in vorstaatlicher Zeit bietet der Bundesbuchtext Ex 23,1–3.6–8, der das Verhalten im Rechtsverfahren anspricht.[85] Hierin werden vor allem genannt das Verbot der Parteilichkeit und Bestechlichkeit, sowie die Vorschrift, dem Unschuldigen sein Recht zu verschaffen. Als Adressaten dieser Mahnungen können nur die Ältesten in Frage kommen, da es innerhalb der Familie kein Prozeßverfahren, sondern nur die richtende Autorität des pater familias gibt. Die in Ex 23,1–9* vorliegende erste Ausbaustufe des Bundesbuches[86] wendet sich nur unter einem bestimmten Aspekt an die Ältestengerichtsbarkeit: Es geht hier um den Rechtsschutz derer, die keinen Rückhalt in ihrer Sippe haben. Der Rechtsschutz dieser Armen, Beisassen und Fremden wird in den Geltungsbereich des Privilegrechts JHWHs eingerückt.

Bei einer Durchsicht der Texte, die von der politischen Repräsentation der Gesellschaft Israels in vor- und frühstaatlicher Zeit handeln,[87] ergibt sich: „Die politische Entscheidungsbefugnis lag offenbar nicht bei der Versammlung der freien Männer, sondern bei ihren Repräsentanten, den Ältesten."[88] Eine Rechtsgemeinde gab es nicht als bleibende Institution, sie wurde vielmehr je nach Bedürfnis einberufen, wie dies Gen 31,32.37 schon zeigte. Diese war eine lokale Angelegenheit, und die Schlichtung der Fälle wurde von den Ältesten wahrgenommen.[89] Bei ihnen handelt es sich nicht um die Ältesten dem Alter nach, sondern um die Repräsentan-

---

[83] Vgl. *Albertz*, Täter 149f. Zu *šalem* D als Rechtsterminus vgl. *Liedke*, Gestalt 42–44.

[84] Zum Ersatz vgl. Ex 21,33f.35f; zum Diebstahl vgl. Ex 21,37.

[85] Vgl. dazu *McKay*, Decalogue passim, der den Text zurecht auf die Torgerichtsbarkeit bezieht, aber bei der Rekonstruktion eines Dekalogs zuviel Phantasie walten läßt, und *Alt*, Ursprünge 315f.

[86] Vgl. hierzu und zum Folgenden *Halbe*, Privilegrecht 451–459.

[87] Vgl. hierzu *Thiel*, Entwicklung 138f.

[88] Ebd. 139.

[89] Vgl. ebd.f.

ten der Sippenhäupter, deren wichtigstes Privileg ihre Rechtsfähigkeit war.[90]

Nur sehr vorsichtig kann eine Entwicklung postuliert werden, in der sich aus der nomadischen Familien- und Sippengerichtsbarkeit, die durch die Patriarchen und die Ältesten repräsentiert wird, die Ortsgerichtsbarkeit der seßhaften Rechtsgemeinde entwickelte,[91] die eine Ausweitung der Rechtsbefugnisse gegenüber der Sippengerichtsbarkeit mit sich brachte.[92] Zuständigkeitsbereiche dieser Torgerichtsbarkeit waren, wie aus den entsprechenden Bundesbuchtexten ersichtlich ist, außerfamiliäre Fälle von Körperverletzung, Sachbeschädigung und Eigentumsdelikte,[93] während Mordfälle bis in die Königszeit durch die Blutrache der Familie des Opfers geahndet wurden.

Mit der öffentlichen Form der Gerichtsbarkeit, wie sie sich in der Ältestengerichtsbarkeit äußert, treten auch ausgeprägte Rechtsverfahren in Erscheinung, wohingegen innerhalb familienrechtlicher Angelegenheiten kein Prozeß im eigentlichen Sinne geführt wird, wenn auch Elemente des Prozeßverfahrens, wie die Appellation des Beschuldigers oder des Beschuldigten, hierin zu finden sind. Der Verlauf der israelitischen Gerichtsverhandlung ist verschiedentlich dargestellt worden,[94] was hier nicht wiederholt zu werden braucht. Eine eigene Frage in diesem Zusammenhang, die hier aber auch nicht vertieft werden kann, ist die nach der Entwicklung des israelitischen Gerichtsverfahrens und die nach seinen unterschiedlichen Ausformungen. Denn es hat sicherlich – genauso wie eine eigentliche Gerichtsverfassung fehlt – kein typisches Gerichtsverfahren gegeben, ein Sachverhalt, auf den nicht zuletzt die Rekonstruktions-

---

[90] Vgl. *Conrad*, art. *zāqēn* 645; *de Vaux*, Institutions 152; *Thiel*, Entwicklung 41f.105; *Boecker*, Recht 23; *Dietrich*, Israel 15.
   Insgesamt gesehen, muß man es mit der Feststellung *Thiels* bewenden lassen: „An sicheren Überlieferungen über die Funktionen der Ältesten in vorseßhafter Zeit bleibt kaum etwas übrig" (*Thiel*, Entwicklung 42).
[91] Vgl. *Horst*, art. Gerichtsverfassung 1428; *Boecker*, ebd. 23.
[92] Vgl. *Boecker*, ebd. 24.
[93] Vgl. *Albertz*, Täter 151.
[94] Vgl. bes. *Köhler*, Mensch 143–171; *Horst*, art. Gericht 1510–1512; *Lehming*, art. Gerichtsverfassung 550f; *Gamper*, Gott 172–177; *Boecker*, Recht 24–28; *Würthwein-Merk*, Verantwortung 71–81.
   Zu Einzelfragen, insbes. terminologischer Art vgl. *Gemser*, Rîb-pattern 122–125; *Seeligmann*, Terminologie 255–278; *Boecker*, Redeformen 71–121; *McKay*, Decalogue passim; *Bovati*, Giustizia passim.
   Zum Vergleich mit dem Alten Orient vgl. bes. *Pintore*, Struttura 482–492.510f (Lit.!); zum Vergleich mit Mari bes. *Sasson*, Treatment 105–108.

versuche in der Sekundärliteratur verweisen, da sie Texte aus unterschiedlichen Epochen zu einem einheitlichen Bild verschmelzen.

Im Unterschied zur Gerichtsorganisation in Mesopotamien und Syrien-Kanaan läßt sich für das Israel der vorstaatlichen Zeit eine Gerichtsbarkeit des Volkes nicht ausmachen.[95] Dafür gibt es Hinweise auf eine der Ältestengerichtsbarkeit verwandte, im städtischen Bereich angesiedelte Form der Gerichtsbarkeit. In Ri 6,25–32 liegt ein Bericht über die Zerstörung des Baal-Altares in der Vaterstadt Gideons vor. Durch diesen Kultfrevel ist die Gesamtheit der Stadt geschädigt, weshalb die ‚Männer der Stadt‘, d. h. ihre Repräsentanten,[96] aktiv werden, indem sie eine Untersuchung einleiten und durchführen und nach der Ergreifung des Täters ein Todesurteil fällen (VV. 29f). Da sich der somit zu Tode verurteilte Gideon aber im Hause seines Vaters befindet, müssen ihn die ‚Männer der Stadt‘ um die Herausgabe seines Sohnes ersuchen,[97] die der Vater aber verweigert, so daß sein Sohn am Leben bleibt.[98]

1.23 Priesterliche Gerichtsbarkeit

Neben den gentilen Formen der Gerichtsbarkeit in der vorstaatlichen Zeit, der des pater familias und der der Ältesten, lassen sich in dieser Zeit auch schon Anfänge einer von Priestern verwalteten Gerichtsbarkeit erkennen. Die priesterliche Gerichtsbarkeit war dann an der Reihe, wenn man mit den Mitteln der normalen Rechtsfindung nicht mehr weiterkommen konnte. Beispiele hierfür aus dem Bundesbuch sind die Fälle, daß ein Dieb nicht gefunden werden kann (Ex 22,7) oder daß eine Klage wegen Veruntreuung vorgebracht wird (Ex 22,8). In diesen Fällen soll der Hausherr vor Gott seine Unschuld erklären (V. 7), bzw. soll der Streitfall der beiden vor Gott kommen (V. 8), der einen von beiden als unschuldig bezeichnen wird.

Die erste Möglichkeit deutet auf einen vor Priestern zu leistenden Reini-

---

[95] Gegen *Mettinger*, King 137, der sich auf 1 Sam 14,45 als Beleg hierfür beruft. Vgl. auch die Ablehnung bei *Thiel*, Entwicklung 137–141.

[96] Vgl. zu den ‚Männern der Stadt‘ *Schäfer-Lichtenberger*, Stadt 292–295; zu deren Verhältnis zu den Ältesten ebd. 295–297 sowie *Reviv*, Jabesh-Gilead 4–7.

[97] Vgl. dazu *Boecker*, Redeformen 19f.

[98] Vgl. zu diesem Zug der Erfolglosigkeit der öffentlichen Gerichtsbarkeit gegenüber privater Autorität auch aus späterer Zeit Ps 127,4f, der den mit Söhnen gesegneten Mann preist, da sie nicht zuschanden werden, wenn sie mit ihren Feinden im Tore streiten.

gungseid, während bei der zweiten verschiedene Arten der Rechtsfindung in Betracht kommen. So kann es sich hier um ein priesterliches Losorakel oder um ein Ordal handeln.[99] Ist dies auch nicht so deutlich auszumachen, so ist doch der kultische Kontext ersichtlich, der auf eine von Priestern verwaltete Rechtsfindung und Rechtsprechung hinweist.[100] Auf eine derartige Praxis in der frühen Zeit weist auch 1 Sam 2,25:

Wenn ein Mensch gegen einen Menschen sündigt,
kann Gott Schiedsrichter sein.

In der Formulierung, daß Gott Schiedsrichter[101] sein soll, liegt eine verkürzte Sprechweise dafür vor, daß die priesterliche Rechtsfindung den Willen Gottes auf nicht näher beschriebene Weise ermittelt.

1.24 Gab es Richter in der vorstaatlichen Zeit?

Aufgrund rechtsgeschichtlicher Vergleiche mit Beduinengesellschaften der heutigen Zeit wird von einigen Exegeten die Existenz von Stammesrichtern für die vorstaatliche Zeit Israels behauptet.[102] Sieht man von dieser auf argumenta e silentio beruhenden und methodisch nicht abgesicherten Behauptung einmal ab, so werden für die Existenz von Stammesrichtern in der Forschung drei Indizien aus den alttestamentlichen Quellen herangezogen.

(1) Die Vereinheitlichung des israelitischen Rechts, wie sie sich im Bundesbuch auf literarischer Ebene niedergeschlagen hat, wird mit der Exi-

---

[99] Vgl. zur priesterlichen Rechtsprechung in Ex 22,7f *Schottroff*, Fluchspruch 218; *Budd*, Instruction 11f und die Übersicht bei *Cazelles*, Etudes 69f. Übersehen wird dieser Text bei einigen Veröffentlichungen zum Priestertum im AT, vgl. *Cody*, History; *Scharbert*, Jahwe; *Dommershausen*, art. *kohen* 69f und *Groß*, Priestertum.

[100] Die von *Cazelles*, ebd. 69f gewählte Lösung, sich auf die nach Ex 18 eingesetzten Stammeschefs als Verwalter von Ordal und Losorakel zu beziehen, ist nicht aufrechtzuerhalten.

[101] Vgl. *Stähli*, art. *pll* 427. Vgl. zu den Schwierigkeiten dieser Stelle auch *Macholz*, Gerichtsdoxologie 61; *de Ward*, Superstition 1f. 12.

[102] Vgl. u. a. *Thiel*, Entwicklung 148.
Der Vergleich des vorstaatlichen Israel mit Beduinengesellschaften scheitert schon alleine daran, daß die Vorfahren Israels halbnomadische Kleinviehzüchter waren, aber keine Beduinen (vgl. dazu *Schottroff*, Soziologie 58f; *Engel*, Abschied 43f). Zur Problematik des Analogieschlusses von heutigen Beduinengesellschaften auf Gesellschaften der Antike vgl. *Klengel*, Zelt 21f.

stenz von Stammesrichtern in Verbindung gebracht.[103] Diese These erwuchs noch im Kontext des von *M. Noth* postulierten ‚Richters Israels'[104] und stützt sich textlich auf 1 Sam 7,15–17 in Verbindung mit 1 Sam 8,1–3 und Ri 10,1–5; 12,8–15.[105] Auf dieser von *J. Halbe* herangezogenen Grundlage ist jedoch die Semantik des Verbs *šāpaṭ* in 1 Sam 7,16; Ri 10,1–5; 12,7–15 als ‚leiten' oder ‚herrschen' hervorzuheben und 1 Sam 8,1–3 zunächst literarkritisch zu sichten, wobei deutlich wird, daß die forensischen Elemente dieses Textes, die dann auch das Verb *šāpaṭ* und den Titel *šopeṭ* forensisch konnotieren, sekundär sind.[106] Dies hat zur Folge, daß weder Samuel noch seine Söhne als Richter zu verstehen sind, unbeschadet der Tatsache, daß vielleicht forensische Angelegenheiten in ihre Kompetenz fielen. Insofern ist auch *Halbes* These, das ‚Richten' Samuels und seiner Söhne bedeute, „innerhalb einer Gemeinschaft verschiedener Personalrechtsverbände ein Gemeinschaftsrecht zu verwirklichen, das zwischen den Sonderrechten der beteiligten Gruppen (Familien, Sippen, Clans) vermittelt: pragmatisch im gegebenen Konflikt",[107] nicht haltbar. Hiergegen spricht, wie schon oben gesehen, auch das Zeugnis des Bundesbuches, welches in einer Reihe von rechtlichen Aspekten vergleichbar ist mit dem Recht segmentärer Gesellschaften, zumal es keine Zentralinstanz kennt und das in ihm enthaltene kasuistische Recht ein Gewohnheitsrecht und nicht das Resultat der Rechtsprechung von Richtern ist.[108]

(2) Ein weiterer Hinweis auf die Existenz eines vorstaatlichen Richtertums wird in der Person der Debora gesehen (Ri 4,4–5), zu der die Israeliten „zum Entscheid" *(lammišpāṭ)* kamen. Diese Zweckbestimmung muß aber nicht unbedingt forensisch verstanden werden, eher wird es sich hierbei um die Orakelpraxis der Prophetin Debora handeln.[109] Da kein weiterer Kontext erhalten ist und die Angabe über die Leitungstätigkeit Deboras in Israel sekundär eingefügt ist,[110] läßt sich Debora für die

---

[103] Vgl. dazu *Halbe*, Privilegrecht 469–476; *Boecker*, Recht 123f.

[104] Vgl. dazu *Noth*, Richter passim.
Zu den Auswirkungen dieser These auf die Erforschung der Gerichtsorganisation Israels vgl. *Niehr*, Grundzüge 208–213.

[105] Vgl. *Halbe*, Privilegrecht 469–473.

[106] Vgl. dazu *Niehr*, Herrschen 127f.

[107] *Halbe*, Privilegrecht 473.

[108] Vgl. oben III, 1.1.

[109] Gegen *Schäfer-Lichtenberger*, Stadt 348f.

[110] Vgl. *Niehr*, Herrschen 102f.

Existenz eines vorstaatlichen charismatischen Richteramtes, wie es sonst in segmentären Gesellschaften belegt ist,[111] nicht gut vereinnahmen. Gegen eine forensische Aktivität Deboras spricht auch, daß sonst nirgendwo im Alten Testament einer Frau Jurisdiktionskompetenz zugeschrieben wird,[112] während eine Prophetin, wie insbesondere 2 Kön 22,14–20 zeigt, in anderen Fragen konsultiert wurde.

Auch die im Rahmen der segmentären Gesellschaft Israels postulierten ‚Richter ohne Amt‘, als die die sogenannten kleinen Richter verstanden werden,[113] lassen sich nicht einfach forensisch verstehen,[114] und Annahmen über die Vereinbarkeit ihres Amtes mit der Ortsgerichtsbarkeit[115] entbehren jeder Textbasis. Hinsichtlich der Tätigkeit der ‚Richter Israels‘, deren Leitungstätigkeit nicht als ein zentrales Amt verstanden werden kann, sondern als ein Bindeglied zwischen Stadt und Stammesgesellschaft aufzufassen ist,[116] hat die von *W. Richter* getroffene Charakterisierung ihre Berechtigung nicht verloren: „Es sind aus der Stadt oder den Stämmen stammende, zur zivilen Verwaltung oder Rechtsprechung über eine Stadt und einen entsprechenden Landbezirk von den (Stammes-)Ältesten eingesetzte Vertreter einer Ordnung im Übergang von der Tribal- zur Stadtverfassung."[117]

(3) Ein letztes für die Existenz von Stammesrichtern vorgebrachtes Indiz ist alles andere als eindeutig. In Ex 21,22 tritt der Terminus *pālīl* auf. Dieses sonst nur in nachexilischer Zeit belegte Substantiv[118] bezeichnet einen Schiedsrichter, der als neutraler Dritter agiert.[119] Fraglich ist, ob der Terminus nicht nachträglich in Ex 21,22 eingefügt wurde und somit schon ein Indiz für eine staatliche Autorität darstellt.[120] Die hiermit bezeichnete Aufgabe muß auch nicht notwendigerweise forensisch verstanden wer-

---

[111] Vgl. dazu *Schäfer-Lichtenberger*, Stadt 344–346.
[112] Zu Relikten eines alten Mutterrechts im AT vgl. *Plautz*, Mutterrecht passim und *Ebach*, art. Frau 422f.
[113] Vgl. *Schäfer-Lichtenberger*, Stadt 350f.
[114] Vgl. dagegen mit philologischen Argumenten *Richter*, Richter passim und *Niehr*, Herrschen 85–88.
[115] Vgl. *Schäfer-Lichtenberger*, Stadt 351, die ausführt, daß die ‚Richter ohne Amt‘ in den Fällen eingeschaltet werden, in denen das Gewohnheitsrecht nicht greift und wo gleichwertige Normen zu vermitteln sind, wie etwa Blutrache gegen Friedensrecht.
[116] Vgl. dazu *Niehr*, Herrschen 127–131.
[117] *Richter*, Richter 53.
[118] Vgl. Dtn 32,31; Ijob 31,11.
[119] Vgl. 1 Sam 2,25; Ps 106,30.
[120] Vgl. *Daube*, Studies 108. 149 Anm. 14; *Jackson*, Problem 278.

den; es läßt sich auch daran denken, daß es hierbei um die Abschätzung von Schäden und ein Aussprechen der Schuldlosigkeit ging.[121] Da zudem die Semantik des Terminus nicht eindeutig geklärt ist,[122] kann auch Ex 21,22 nicht die Beweislast eines vorstaatlichen Richteramtes tragen.

2. Gerichtsbarkeit in der Zeit der Monarchie

2.1 Einleitung

Mit der Begründung des Königtums durch Saul, insbesondere mit seiner gesamtisraelitischen, d. h. Nord- und Südreich umfassenden Gestalt unter David und Salomo sowie ihren Nachfolgern in den beiden Reichsteilen stellt sich die Frage nach der Gerichtsbarkeit und ihren Trägern in Israel aufs neue. Die Zäsur einer mit dem Königtum erstmalig einsetzenden und immer weiter expandierenden Zentralherrschaft hat auch Auswirkungen auf die Rechtspflege, da jeder Herrscher bestrebt ist, diesen wichtigen Zweig von Autoritätsausübung zumindest teilweise unter seine Kontrolle zu bekommen. Hier ist allerdings gleichzeitig vor einer Überschätzung der königlichen Gerichtsbarkeit in Israel zu warnen, denn diese ist „in ihrem Umfang und in ihrer Bedeutung in Israel äußerst begrenzt, was sicher mit den antiherrschaftlichen Tendenzen zusammenhängt, die weite Kreise der israelitischen Gesellschaft seit der vorstaatlichen Zeit bestimmten".[123] Hinzu tritt ein weiterer Aspekt. Auch wenn wesentliche alte Strukturen der Rechtspflege erhalten bleiben, so bilden sich unter der Monarchie durch den Aufbau eines königlichen Verwaltungsapparates und eines Heeres, die mit Abgabenforderungen und Heeresdiensten in die Rechte des einzelnen Israeliten eingreifen, doch neue Rechtsverhältnisse heraus, die mit der Gerichtsorganisation der vorstaatlichen Zeit nicht mehr in den Griff zu bekommen sind. Diese Frage nach den neuen

---

[121] Vgl. *Jackson*, ebd. 278f Anm. 8. So schon vorher *Cazelles*, Etudes 55, worauf sich auch *Gamper*, Gott 179 bezieht. Vgl. auch *Alt*, Ursprünge 289 Anm. 2; *Liedke*, Gestalt 44f; *Bovati*, Giustizia 157f.

[122] So vermuten einige Exegeten hier einen Abstraktplural „Einschätzung" (vgl. *Paul*, Studies 71f; *Stähli*, art. *pll* 427), oder man bezieht das Verb auf eine archaische Methode der Rechtsfindung (vgl. *de Ward*, Superstition passim). Einen anderen Weg hat zuletzt *Westbrook*, Lex 58–61 eingeschlagen, da er den Terminus auf den Schuldigen im Sinne von „er allein" bezieht.

[123] *Albertz*, Täter 152.

Rechtsverhältnissen unter der Monarchie spitzt sich zu in der Gestalt des Königs, der selber keiner Gerichtsbarkeit mehr untersteht.[124] Es ist also in diesem Kapitel danach zu fragen, welche Rechtsprechungsinstanzen sich unter und aufgrund der Monarchie neu herausbilden und wie die Kooperation zwischen den alten und den neuen Rechtsprechungsinstanzen ist. Handelt es sich um Konflikt oder Konkurrenz auf der einen oder um eine Komplementarität auf der anderen Seite?

2.2 Das Weiterleben der vorstaatlichen Jurisdiktionsinstanzen und ihr Wandel

Patriarchale Jurisdiktion und Ältestengerichtsbarkeit setzen sich auch in der Königszeit fort, wobei beide Formen der Rechtsprechung Veränderungen unterliegen, die ihren Grund in der durch die Monarchie herbeigeführten neuen sozialen Lage haben.

Was die Gerichtsbarkeit des pater familias angeht, so wird ihr in der Königszeit ein doppeltes Schicksal zuteil: Einerseits wird sie im Laufe der Zeit durch die Ältestengerichtsbarkeit eingeschränkt, andererseits dient sie als eine der Grundlagen für die königliche Gerichtsbarkeit. Aber auch die Stellung der Ältesten bleibt nicht dieselbe wie in der vorstaatlichen Zeit, da sich ihr Einfluß ausweiten kann.

Für den Übergang von der vorstaatlichen zur staatlichen Verfassung hat *H. Klengel* die These aufgestellt, daß „der König bald nach der Übernahme oder Okkupation seines Amtes versuchte, die Kompetenzen des Ältestenrates abzubauen. Er wurde mehr und mehr auf Befugnisse im kultischen Bereich oder in der niederen Gerichtsbarkeit eingeschränkt".[125] Für den Zusammenhang von Patriarchat und Ältestenherrschaft ergibt sich so in der Folge, daß das Königtum bei der Ausdehnung seiner Machtsphäre die Ältesten aus bisherigen Machtpositionen verdrängt und diese sich ihrerseits zumindest den Bereich der Gerichtsbarkeit auf Kosten der patriarchalen Macht sichern. Wie dies im Detail aussieht, sollen die folgenden Abschnitte zeigen.

---

[124] Vgl. *Whitelam*, King 129.
[125] *Klengel*, Zelt 127. Zur Reduktion der Ältestenherrschaft auf das Gerichtswesen vgl. noch *Soggin*, Königtum 137f; *McKenzie*, Elders 539.

2.21 Die Beschränkung der Jurisdiktion des pater familias

Hier ist auszugehen vom Wandel der Familie im Übergang von der vorstaatlichen zur staatlichen Zeit. Repräsentiert die Familie der vorstaatlichen Zeit die gesamte Gesellschaft und nicht nur einen Teil derselben, wobei sie unter Führung des Patriarchen eine Wirtschafts-, Rechts- und Kultuseinheit darstellt, so verliert die so beschaffene patriarchale Großfamilie ihre beherrschende Position in der staatlichen Zeit. Manche ihrer Funktionen gibt sie an die übergeordneten Systeme von Sippe und Stamm ab und wandelt sich im Laufe der weiteren Entwicklung zur Kleinfamilie. In den Städten konstituiert sich eine Ständegesellschaft, so daß sich hier die Familie bestimmten sozialen Schichten zuordnen muß.[126] Einschlägige Texte zu diesem Themenbereich haben den Nachteil, daß sie sich nur schwer datieren lassen.[127] Mit einiger Vorsicht lassen sich jedoch einige Texte auswählen.

So ist aus dem Deuteronomium eine Rechtsbestimmung aus dem Kontext der *bi'arta*-Gesetze[128] heranzuziehen. Nach Dtn 21,18–21 soll der störrische und widerspenstige Sohn, der nicht auf die Eltern hört, vor die Versammlung der Ältesten im Tor[129] gebracht werden, wo ihm die Todesstrafe zuteil werden soll. Im Vergleich zu den todesrechtlichen Bestimmungen aus dem Bundesbuch (Ex 21,15.17), die dem Vater für bestimmte Fälle ein Tötungsrecht einräumen, ist in Dtn 21,18–21 die Jurisdiktionskompetenz des Familienvaters auf das Ausliefern und Anklagen des Sohnes beschränkt; die Vollmacht, ein Urteil über Leben und Tod auszusprechen, ist auf die Ältesten übergegangen.[130] Als Exekutivorgan fungieren die ‚Männer der Stadt', die schon in vorstaatlicher Zeit an der kommunalen Rechtsprechung beteiligt waren.[131]

---

[126] Vgl. zum Überblick *Perlitt*, Vater 53f; *Hossfeld*, Familie 220f; *Clauss*, Geschichte 50–59. Zum Zusammenhang von Urbanisierung und Abnahme der Macht des pater familias vgl. den Forschungsüberblick bei *Whitelam*, King 41f. Vgl. des weiteren *Horst*, art. Familie; *Thiel*, Entwicklung 113f; *Albertz*, Täter 148f; zur Abnahme der väterlichen Gewalt in den Gesetzen des Dtn vgl. immer noch *Causse*, Idéal 290–292.

[127] Vgl. dazu auch den Überblick bei *Whitelam*, ebd. 42.

[128] Vgl. dazu *Preuss*, Deuteronomium 119f.

[129] Die Formulierung des MT in V. 19 ist als explikativ aufzufassen: „Vor die Ältesten der Stadt, d.h. vor die Torversammlung des Ortes", so daß hier nicht an zwei Gremien zu denken ist (vgl. grundsätzlich zum waw-explicativum *Brongers*, Interpretationen 276f).

[130] Vgl. zum Fall die Detailanalyse bei *Bellefontaine*, Deuteronomy 21 passim.

[131] S.o. III, 1.22 zu Ri 6,25–32.

Die geminderte Jurisdiktionskompetenz des pater familias zeigt sich auch in einem weiteren Zug der Bestimmung von Dtn 21,18–21. Es fällt auf, daß die Frau an Auslieferung und Anklage des Sohnes beteiligt ist, was zeigt, daß sie vor Gericht rechtsfähig ist,[132] zumindest dann, wenn sie zusammen mit ihrem Mann auftritt. Deutlicher wird diese Rechtsfähigkeit der Frau in Dtn 25,7, da sie hier alleine als Klägerin vor Gericht auftreten kann. In nachexilischer Zeit wird die Rechtsstellung der Frau hinsichtlich ihres Erbrechtes in Num 27,1–11 noch weiter ausgebaut, wozu Num 36 aber wieder eine Einschränkung liefert.[133] Diese rechtliche Aufwertung der Frau im Kontext einer sich abschwächenden patriarchalen Gerichtsbarkeit ist kein Zufall, da in der Königszeit der gesamte Bereich des Rechts strenger geregelt und auch der Frau zumindest teilweise eine Stellung in der Gerichtsbarkeit zugewiesen wird.[134] Gerade die von prophetischer Seite an die königliche Gerichtsbarkeit gerichtete Anklage hinsichtlich der Benachteiligung der Witwe (Jes 1,23) zeigt, wie der Frau Rechte in der Gerichtsbarkeit in königlicher Zeit zukommen, wobei es sich hier um das Recht, einen Prozeß zu führen, handelt.

Weitere Rechtsbestimmungen von Dtn 22 weisen in dieselbe Richtung der Usurpation ursprünglich patriarchaler Jurisdiktionskompetenz durch die Ältesten. So soll nach Dtn 22,13–21 die Beschuldigung der Tochter eines Familienvaters durch ihren Ehemann wegen vorehelichen Verkehrs[135] nicht durch den pater familias entschieden werden, sondern durch die Ältesten der Stadt. Auch in diesem Fall kennt der pater familias wie in Dtn 21,18–21 nur die Möglichkeit der Anzeige sowie der Überstellung eines Beweisstücks. Bei der Urteilsfindung und beim Vollzug der Strafe ist hingegen seine Beteiligung nicht vorgesehen, hier werden vielmehr wie in Dtn 21,21 die ‚Männer der Stadt' aktiv (V. 21). Wie auch schon in Dtn 21,18–21 fällt in Dtn 22,15 die Beteiligung der Mutter auf, die also auch wieder als rechtsfähig eingestuft wird.

Wieder beleuchtet durch einen Bundesbuchtext wird die Bestimmung von Dtn 22,28f, derzufolge der Mann, der ein unberührtes, nichtverlobtes Mädchen vergewaltigt hat, dem Vater des Mädchens 50 Silberschekel zu

---

[132] Vgl. hierzu *Crüsemann*, Frau 31; *Hossfeld*, Dekalog 256.
Zur Rechtsstellung der freien Israelitin, auf die hier nicht weiter eingegangen werden kann, vgl. bes. *Crüsemann*, ebd. 25–32.

[133] Vgl. dazu *Crüsemann*, ebd. 26.

[134] Vgl. ebd. 48.

[135] Vgl. hierzu jetzt die umfassende exegetische und rechtsvergleichende Studie von *Locher*, Die Ehre einer Frau in Israel.

zahlen hat, wobei das Mädchen seine Frau werden soll, die er niemals entlassen darf. Demgegenüber räumte der ältere Gesetzestext des Bundesbuches dem pater familias die Möglichkeit ein, sich im Falle der Verführung der nichtverlobten Tochter der Verheiratung seiner Tochter zu widersetzen (Ex 22,15f). Der schuldige Mann mußte dann dem Vater den Brautpreis für eine Jungfrau zahlen.

Die rechtsgeschichtliche Weiterentwicklung, die Dtn 22,28f gegenüber Ex 22,15f zeigt, läßt sich auf drei Ebenen ausmachen.[136] Zunächst wird der Fall auf Vergewaltigung und deren Entdeckung durch einen Zeugen eingeschränkt; des weiteren ist die Stellung des pater familias durch das fehlende Einspruchsrecht geschwächt, und drittens wird die Stellung der Frau, die in Ex 22,15f nur Rechtsobjekt war, als Rechtssubjekt initiiert, da sie die Frau des Vergewaltigers wird, die er sein Leben lang nicht fortschicken kann. Die Schwächung der Jurisdiktionskompetenz des pater familias durch den Wegfall seines Widerspruchsrechts geht einher mit der Einschränkung des Rechtes des Mannes, die Frau zu entlassen, wobei letzteres nun der Frau zugute kommt, da ihr Rechtsschutz ausgebaut wird. Insgesamt geht es um eine Konfliktregelung zwischen Familien, die auch den Schutz der Frau miteinschließt.[137] Lassen sich die beiden Aspekte der Schwächung der Stellung des pater familias und der Aufwertung der Frau auf dem Hintergrund der zeitgenössischen Rechtspraxis und des Normenbewußtseins der staatlichen Zeit mit dem Verfall der Großfamilie erklären, so trifft dies nicht zu für den ersten Aspekt (Fall der Vergewaltigung mit Zeugenaussage), da der sehr viel häufigere Fall der Vergewaltigung ohne Zeugenaussage nicht berücksichtigt wird.[138] Somit geht es um eine Rechtsformulierung, die nicht mehr im Kontext der Konfliktregelung der Rechtsgemeinde steht, sondern zur Rechtspredigt im Rahmen der Normeninternalisierung geworden ist.[139]

Eine weitere Sicherung der Rechtsstellung der Frau ist durch Dtn 21,15–17 gegeben, da hierdurch der pater familias gehalten ist, das Erstgeburtsrecht des Sohnes seiner ungeliebten Frau anzuerkennen. Die in älteren Texten als möglich hingestellte Entziehung des Erstgeburtsrechtes[140] ist nach Dtn 21,15–17 der väterlichen Jurisdiktionskompetenz entzogen.

---

[136] Vgl. zum folgenden *Otto*, Stellung 287f.
[137] Vgl. ebd. 288.
[138] Vgl. indes Dtn 22,26f.
[139] Vgl. *Otto*, Stellung 288.
[140] Vgl. Gen 27,30–37; 48,17–19; 49,3f.8.

Ebenfalls eingeschränkt wird die Jurisdiktion nicht nur des pater familias, sondern der gesamten Familie durch die Einrichtung von Zufluchtsstädten.[141] Wenn im Falle einer schon vorher bestehenden Feindschaft die Pflicht besteht, den Mörder an den Bluträcher auszuliefern, so soll diese von den Ältesten ausgeübt werden (Dtn 19,12), so daß der Bluträcher keinen unmittelbaren Zugriff zum Mörder hat.

Eine weitere, innerfamiliäre Restriktion der Jurisdiktionskompetenz des pater familias, ohne daß hiervon die Ältestengerichtsbarkeit berührt würde, läßt sich auch im Bereich der Inzestverbote Lev 18,7–28 aufzeigen, in deren Text A (= VV. 7*.11*.14*15) der „strenge vater- und eigentumsrechtliche Tenor"[142] im Kontext der Seßhaftigkeit zurücktritt.[143]

2.22 Die Ältestengerichtsbarkeit in der Königszeit

Hinsichtlich der Stellung der Ältesten im Wechsel von vorstaatlicher, segmentärer Gesellschaft ohne Zentralinstanz zur staatlichen Gesellschaft mit monarchischer Zentralinstanz gibt es eine Reihe von Veränderungen, und es wäre überraschend, wenn der Bereich der Gerichtsbarkeit hierin eine Ausnahme bildete.

Zunächst werden die Ältesten unter der Monarchie in politischer Hinsicht zunehmend entmachtet,[144] während ihr Einfluß im Bereich der Rechtsprechung zunimmt. Dies hängt damit zusammen, daß die Torgerichtsbarkeit in den Ortschaften das Resultat der Umbildung des Sippenältestengerichts ist,[145] welches analog zur Erhaltung der Sippe auch in der Königszeit erhalten blieb. Zu Anfang der Monarchie hatten die Ältesten noch eine starke politische Stellung inne, was sich daran zeigt, daß David den Ältesten von Juda Geschenke sandte, um ihre Gunst zu erringen (1 Sam 30,26), diese mit David in Hebron einen Bund schlossen (2 Sam 5,3), David sich nach dem Abschalomaufstand mit ihnen in Verbindung setzte (2 Sam 19,12f) und Abner mit den Ältesten Israels über ihren Wechsel von Ischbaal zu David verhandelte (2 Sam 3,17).

Den zunehmenden Einfluß der Ältesten auf die Gerichtsbarkeit zeigten bereits einige Texte aus dem Deuteronomium, die erkennen ließen, daß

---

[141] Vgl. Num 35,9–29; Dtn 19,1–13.

[142] *Halbe*, Reihe 87.

[143] Vgl. ebd. 88.

[144] Zum Rückgang des Einflusses der Ältesten zur Zeit Davids und Salomos vgl. *Tadmor*, Institutions 240f; *Conrad*, art. *zāqen* 646; *McKenzie*, Elders 539.

[145] Vgl. *Horst*, art. Gerichtsverfassung 1428; *Liedke*, Gestalt 39f.

die Jurisdiktionskompetenz des pater familias zugunsten der Ältestengerichtsbarkeit eingeschränkt wurde. Soziologisch gesehen hängt dies mit dem Wandel der Familie in der staatlichen Gesellschaft zusammen, die manche ihrer Funktionen an die Sippe abgab, deren Vertreter die Ältesten waren. Dies erklärt den zunehmenden Einfluß der Ältesten im Bereich der Familiengerichtsbarkeit, wozu noch der schon besprochene Aspekt der Zurückdrängung der Ältesten aus der Politik in die niedere Gerichtsbarkeit hinzutritt.

Nach Dtn 25,5–10 kann eine Witwe, der die Schwagerehe verweigert wird, sich an die Ältesten im Tore wenden, die den Schwager dann vorladen, ihn aber nicht zur Ehe zwingen können. Allerdings hat die Klägerin die Möglichkeit, dem Schwager den Schuh auszuziehen und ihm damit den Erbbesitz ihres Mannes symbolisch zu entziehen.

Des weiteren wirken die Ältesten bei der Gerichtsbarkeit mit, wenn sie einen Mörder ihrer Stadt aus einer Asylstadt herausholen und ihn in die Gewalt des Bluträchers überstellen, so daß der Mörder den Tod findet (Dtn 19,11–13). Im vergleichbaren Bundesbuchtext Ex 21,12–14 ist hingegen von einer Mithilfe und Jurisdiktion der Ältesten in einem derartigen Fall noch nicht die Rede. Nach einem noch späteren Text (Jos 20,4f) soll der Fall den Ältesten der Asylstadt vorgetragen werden, die dann erst den Asylsuchenden in die Stadt aufnehmen. All dies zeigt, daß der Bereich der Blutrache der Rechtsbefugnis der Familie entzogen wurde und den Ältesten zukam, wobei die Vollstreckung der Blutrache der gesamten Dorfgemeinschaft oblag (Dtn 22,21.23f).

Auch im Falle des Mordes durch einen unbekannten Täter spielen die Ältesten eine Rolle hinsichtlich der Bestimmung der schuldigen Stadt und ihrer Entsühnung (Dtn 21,1–9).

Nicht eindeutig ist die Rolle der Ältesten zusammen mit den Vornehmen der Stadt, die auf den Brief der Königin Isebel hin den Justizmord an Nabot inszenieren (1 Kön 21,8.11). Bedeutet die Erwähnung der Ältesten, daß auch in diesem Fall die Ältestengerichtsbarkeit nicht umgangen werden konnte, oder dienten die Ältesten nur als Werkzeug, um den Justizmord durch den eigentlichen Auftraggeber zu kaschieren? Vielleicht liegt hiermit aber auch eine falsche Alternative vor, da es gleichfalls denkbar ist, daß die Not der Unumgänglichkeit der lokalen Ältestengerichtsbarkeit zur Tugend des Kaschierens des von der Königin geplanten Justizmordes gewandelt wurde.[146]

---

[146] Nach *Alt*, Königtum 116 konnte die Ältestengerichtsbarkeit nicht ausgeschaltet

Systematisiert man die Texte, in denen von einer Ältestengerichtsbarkeit die Rede ist, so ergeben sich als Rechtsbereiche, in denen die Ältesten aktiv werden, Kapitalverbrechen, Leviratsehe und Blutrache.[147]
Ohne daß von den Ältesten expressis verbis die Rede ist, wird auch in den prophetischen Texten bei Amos, Hosea und Jesaja eine Torgerichtsbarkeit vorausgesetzt. Daß die Ältesten vor allem in diesen sozialkritischen Texten des 8. Jh. nicht als solche bezeichnet werden, hängt damit zusammen, daß in dieser Zeit die Ortsgerichtsbarkeit eine Sache aller Vollbürger war und hierbei der Titel ‚Älteste‘ keine Rolle mehr spielte. Dies zeigt sich zunächst bei Hosea, wo die Verantwortung für das Recht bei den Priestern, dem ‚Haus Israel‘ und dem Könighaus lokalisiert wird. Unter dem ‚Haus Israel‘ ist dabei die Versammlung der Ältesten zu verstehen.[148] Aufgrund der gemeinsamen Zugehörigkeit der Ältesten und der Beamten zur Oberschicht,[149] die auf Sicherung und Ausbau ihres Besitzes und ihrer Macht aus war, muß diesem Zweck auch die Rechtsordnung dienen, die dementsprechend zuungunsten der sozial Schwachen gehandhabt wird. Dies ist der Hintergrund für die Schilderung der zeitgenössischen Rechtspraxis, wie sie durch Amos im Nordreich und Jesaja im Südreich des 8. Jh. vorgenommen wird. Amos beschuldigt die Bürger im Tor, als dem Ort der öffentlichen Gerichtsbarkeit, den zu hassen, der vermitteln will,[150] und die Armen bei der Torgerichtsbarkeit abzuweisen (Am 5,10.12). Diese Vorwürfe gegen die Korruption des Gerichtswesens sind gekoppelt mit der Anklage der ausbeuterischen Praxis der Oberschicht. Ein vergleichbares Bild wird durch seinen jüngeren Zeitgenossen Jesaja im Südreich gezeichnet, der die Handlungsweise der Oberschicht unter den der Totenklage entnommenen Weheruf stellt:

Wehe denen...
die gerechtsprechen den Schuldigen für Bestechung
und die Gerechtigkeit der Gerechten von ihnen wegnehmen.
(Jes 5,23)

---

werden, während sie nach *Tadmor,* Institutions 241 und *Würthwein,* Könige 249f dazu diente, den Schein der Legalität zu wahren.

[147] Vgl. zu Kapitalverbrechen Dtn 21,1–9.18–21; 22,13–21 und 1 Kön 21,8–16; zur Leviratsehe Dtn 25,5–10 und Rut 4,1–12; zur Blutrache Dtn 19,11f; Jos 20,1–6.

[148] Vgl. *Utzschneider,* Hosea 138f; *Jeremias,* Prophet 74.

[149] Vgl. dazu *Reviv,* Traditions passim und s. u. 2.4.

[150] Vgl. zum Terminus *môkiaḥ Boecker,* Redeformen 45–47; *Mayer,* art. *jkḥ* 621–624.

Des weiteren fordert Jesaja die Oberschicht auf, für gerechte Zustände im Lande Sorge zu tragen:

Lernt Gutes zu tun, trachtet nach Recht,
verschafft Recht dem Unterdrückten;
laßt die Waise zu Recht kommen,
führt den Prozeß der Witwe.[151]
(Jes 1,17)

Die Zusammenarbeit von Ältesten und Beamten bei der Ausbeutung der ihnen Anvertrauten wird in Jes 3,14f deutlich, wo ihnen der Vorwurf gemacht wird, das Volk wie einen Weinberg abzuernten. Für das Nordreich zeigt die Nabotnovelle (1 Kön 21,1–16) die Zusammenarbeit von Ältesten und Vornehmen bei dem durch die Königin initiierten Justizmord, und bei der Jehu-Revolution in Samaria wird deutlich, wie Älteste und Beamte gemeinsam angesprochen werden und gemeinsam dem Usurpator gehorchen (2 Kön 10,1–11).

Das nachexilische Buch Rut spiegelt die vorexilische Stellung der Ältesten einer Stadt (Rut 4,1–12) mit der Erwähnung ihrer konstitutiven Zeugenrolle in der Torversammlung hinsichtlich der Lösepflicht und der Leviratsehe, wozu besonders Dtn 25,5–10 Modell gestanden hat.[152]

2.3 Die königliche Gerichtsbarkeit

Die Frage nach dem Auftreten der königlichen Gerichtsbarkeit bewegt sich zwischen zwei in der Forschung vorgebrachten Extrempunkten: dem älteren, demzufolge das Königtum im juristischen Bereich in einen Konflikt mit der herkömmlichen Gerichtsbarkeit kam und sich als letzte Appellationsinstanz und höchster Gerichtshof über die Ältestengerichtsbarkeit hinwegsetzte,[153] und dem jüngeren und jetzt meist verbreiteten, demzufolge sich das Königtum nur im Falle von Normenkollision und neuer Präzedenzfälle mit der Rechtsprechung beschäftigte, dergestalt daß keine Konkurrenz zwischen dem alten gerontokratischen und dem neuen königlichen System der Rechtsprechung bestand.[154] Um diese Extrempo-

---

[151] Zur Konnotation der Verben *šāpaṭ* und *rîb* an dieser Stelle vgl. *Niehr,* Herrschen 95f; zur Wurzel *'āšar ders.,* Etymologie 232f.235.

[152] Vgl. hierzu zuletzt *Zenger,* Buch Ruth 80–95.

[153] Vgl. dazu *Mendenhall,* Law 40.

[154] Vgl. dazu *Macholz,* Stellung 175–178; *Boecker,* Recht 35–38.

sitionen einer Klärung entgegenführen zu können, werden die Grundlagen der königlichen Gerichtsbarkeit durchgesprochen, die den Ausgangspunkt dafür bilden, daß der König als Richter amtieren konnte.

2.31 Die Wurzeln der königlichen Gerichtsbarkeit

Anhand der Schilderung alttestamentlicher Rechtsfälle lassen sich zwei Wurzeln der königlichen Gerichtsbarkeit herausarbeiten: die Jurisdiktion des Heerbannführers und die Jurisdiktion des pater familias. Die bisweilen in der Forschung darüber hinaus postulierten Grundlagen für die königliche Gerichtsbarkeit, so die Anknüpfung der königlichen Jurisdiktionskompetenz an die sogenannten Richter Israels[155] oder an die jebusitischen Könige von Jerusalem,[156] sind textlich nicht zu verifizieren.

2.311 Die Jurisdiktion des Heerbannführers

Von Heerbannführern der vorstaatlichen Zeit, die infolge ihrer Tätigkeit zu leitenden Positionen bis zum Königtum aufsteigen, ist in Ri 6 – 8; 9; 10,17 – 12,7 die Rede, und aus 1 Sam 8,20; 11,1–13 sowie aus der Aufstiegsgeschichte Davids (1 Sam 16,14 – 2 Sam 5,10) wird deutlich, wie die ersten Könige Israels und Judas ihre Stellung der Leitung des Heerbannes verdanken.

Der Text 1 Sam 14,24–46 gehört in die Reihe der vordeuteronomistischen Saulserzählungen,[157] und er berichtet, wie Saul den Heerbann unter einen Fluch stellt, der sich gegen den wendet, der bis zum Abend, bevor sich Saul an seinen Feinden gerächt hat, etwas an Speise zu sich nimmt. Daß Jonatan unwissentlich hiergegen verstoßen hatte, stellt sich erst heraus, als eine Antwort JHWHs bei seiner Befragung ausbleibt. Der nun in VV. 38–44 folgende Rechtsfall sieht so aus, daß Saul einen Urteilsvorschlag durch das Aussprechen der Todesverfallenheit („er soll unbedingt sterben", V. 39) macht, dann aber zum Losorakel greift, um im Gottesgericht Klarheit über den Schuldigen zu gewinnen (VV. 41f). Daraufhin wiederholt Saul den Urteilsvorschlag, nun aber direkt an Jonatan als den durch das Gottesgericht als schuldig Ermittelten. Deutlich zeigt sich in dieser Erzählung die Jurisdiktionskompetenz des Heerbannführers: Er setzt das

---

[155] Vgl. etwa *Donner*, Studien 31f; *Macholz*, ebd. 181.
[156] Vgl. *Boecker*, Recht 34f.
[157] Vgl. dazu *Smend*, Entstehung 129f.

Strafmaß fest, ordnet ein Untersuchungsverfahren an und leitet den Prozeß bis zur Urteilsverkündigung.[158]

Gleichzeitig ist nicht zu übersehen, daß Saul hier keine absolute Jurisdiktionskompetenz zukommt, sondern er nur primus inter pares ist,[159] dessen Urteil, da es der Volksmeinung entgegensteht, nicht ausgeführt wird (V. 45).

Wie schon Saul, so agiert auch David als Führer des Heerbanns, und auch ihm kommt in dieser Eigenschaft eine Jurisdiktionskompetenz zu, von der mehrfach der alte Textkomplex der Aufstiegsgeschichte Davids (1 Sam 16,14 – 2 Sam 5,10) berichtet.

Ein erster Rechtsfall innerhalb des Heerbanns wird im Bericht über Davids Feldzug gegen die Amalekiter geschildert (1 Sam 30). Nach Abschluß dieses Feldzugs wollen die Mitkämpfer Davids denen, die beim Troß geblieben waren, nichts von der Beute abgeben (1 Sam 30,22). Dagegen erhebt David Einspruch und fällt das Urteil:

> ... vielmehr soll wie der Anteil dessen, der in
> den Kampf gestiegen ist, auch der Anteil dessen sein,
> der beim Troß geblieben ist; zusammen sollen sie teilen.
> *(1 Sam 30,24)*

Daß es sich in diesem Text 1 Sam 30,22–25 um einen Rechtsstreit handelt, wird aufgrund einiger Indizien deutlich. Zunächst durch die Frage in V. 24a, mit der die Jurisdiktionskompetenz der Genossen Davids von diesem in Zweifel gezogen wird. Der in diesem Vers auftretende Terminus *dābar* bezeichnet wie an anderen Stellen die Rechtssache.[160] Des weiteren wird das Vorliegen eines Prozesses durch die Auswirkung des Urteils Davids angezeigt, da dieses zur bleibenden Rechtssatzung für Israel wird (V. 25), so daß sich hier auch gleichzeitig zeigt, wie aus einem beurteilten Fall ein Rechtssatz wird.[161]

Ein weiterer Beleg für die Jurisdiktionskompetenz des Heerbannführers liegt vor in 2 Sam 1,1–16. David, der noch nicht König ist, läßt den Mörder Sauls mit der Begründung niederstoßen:

---

[158] Vgl. *Macholz*, Stellung 161. Zur Zuweisung des Textes in den Bereich der Gerichtshoheit des Heerbannes vgl. noch *Whitelam*, King 73.
[159] Vgl. *Mettinger*, King 296; *Whitelam*, ebd. 82.
[160] Vgl. Ex 18,16; 22,8; 24,14; Dtn 1,17; 16,19; 17,8; 19,15 u. ö.
[161] Vgl. *Alt*, Ursprünge 284; *Gerstenberger*, Wesen 133 Anm. 22; *Boecker*, Redeformen 143 Anm. 2 verweist noch auf Num 15,23ff.

Dein Blut über dein Haupt, denn dein Mund hat gegen dich ausgesagt.
(2 Sam 1,15)

Die diesem Urteil zugrundeliegende Formulierung „sein Blut über ihn" ist als Urteilsformel zu verstehen,[162] und die Wendung ʿānāh bᵉ findet sich in der Bedeutung ‚aussagen gegen' ebenfalls mehrfach in forensischem Kontext.[163] Dieses in 2 Sam 1,15f vorliegende Urteil Davids über einen amalekitischen Mann Sauls zeigt, daß sich die Jurisdiktionskompetenz des Heerbannführers nicht nur auf Mitglieder des eigenen Heerbanns erstreckt. Auch wird hieran ersichtlich, daß es keine fest umschriebene Gerichtsverfassung gibt; vielmehr ist entscheidend, ob jemand die Autorität hat, sein Urteil durchzusetzen. Ist diese gegeben, so stellt sich die Frage nach der genauen Jurisdiktionskompetenz des als Richter Agierenden erst gar nicht, vielmehr wird hier schon der Bereich der Nutzbarmachung der Gerichtsbarkeit für die Ziele der eigenen Politik betreten.[164] Daß sich in staatlicher Zeit die Jurisdiktionskompetenz des Heerbannführers im Amt des Königs gehalten hat, zeigt eine Prophetenerzählung aus den Aramäerkriegen (1 Kön 20,35–43). Im Krieg verletzt ein Soldat die Vorschrift eines Vorgesetzten, weshalb er mit dem Tod oder einer Geldbuße bestraft werden soll, ein Urteil, welches der König bestätigt.[165]

2.312 Die Jurisdiktion des pater familias

Diese ist da aufgegriffen und dem Königtum einverleibt, wo der König als pater familias sowohl über die Mitglieder seiner Familie als auch über die Mitglieder seines Hofstaates und die Beamten seiner Verwaltung, die als der königlichen Familie zugehörig betrachtet wurden,[166] urteilt. Daß der Bereich der königlichen Familie auch auf die Beamten auszudehnen ist,

---

[162] Vgl. dazu *Boecker*, ebd. 119.

[163] Vgl. Gen 30,33; 1 Sam 12,3; 2 Sam 1,16; Jes 3,9 u.ö. und *Horst*, Hiob 148; *Boecker*, ebd. 103; *Labuschagne*, art. ʿnh 339.

[164] So auch *Whitelam*, King 105. Daß David Gerichtshoheit über den Amalekiter hatte, weil dieser nicht unter die israelitische Ortsgerichtsbarkeit fiel (so *Macholz*, Stellung 164), ist kaum aufrechtzuerhalten, da es hierfür kein Indiz gibt. Ebenso unwahrscheinlich ist es, den Grund für Davids Gerichtshandeln in einer Majestätsverletzung durch den Amalekiter zu sehen (so *Whitelam*, King 102f).

[165] Es handelt sich hierbei um einen vordtr. Text, der von DtrP in exilischer Zeit rezipiert wurde (vgl. *Dietrich*, Prophetie 120–122). Zum fiktiven Charakter des Textes s.u. Exkurs 1).

[166] Vgl. dazu *Alt*, Menschen passim; *Macholz*, Stellung 172f.176.177f; *Boecker*, Recht 34 und grundsätzlich *Westermann*, Geschichtsverständnis 615–619.

zeigt sich in Israel daran, daß die Organisationsform des Königtums Sauls der *bajit* (Haus) war und daß dessen Beamten die Bezeichnung *ʿabādîm* und noch nicht *śārîm* führten, da letztere erst in davidischer Zeit auftrat.[167]

Ein erster Fall, der den König in der Jurisdiktionskompetenz des pater familias zeigt, liegt vor in 1 Sam 22,6–8. In diesem Prozeß sind die Diener Sauls die Angeklagten, da sie Saul nicht von der Vereinbarung zwischen Jonatan und David erzählt haben, weshalb sie sich der Verschwörung gegen Saul schuldig machten. Die Beschreibung des Königs, der mit seinem Speer in der Hand unter seinem Banner sitzt, deutet neben der im Text auftretenden Rechtsterminologie auf den Ablauf eines Prozeßverfahrens.[168]

Mit diesem Prozeß ist sachlich und literarisch der Fall der Priester von Nob verbunden, da der Priester Ahimelech unter die Diener Sauls gehört (1 Sam 22,15). Die Priester von Nob hatten sich durch ihren Beistand für David, der auf der Flucht vor Saul war (1 Sam 21,1–10; 22,9f), der Verschwörung gegen den König schuldig gemacht (1 Sam 22,13).[169] Deshalb ergeht an sie der Urteilsspruch Sauls:

> Du mußt unbedingt sterben, Ahimelech,
> du und das ganze Haus deines Vaters.
> *(1 Sam 22,16)*

Mit der Ausführung des Urteils werden die Diener Sauls beauftragt, die sich aber weigern, die Exekution an einem Priester des Herrn zu vollziehen, weshalb ein Ausländer die Vollstreckung des Urteils auf sich nimmt (V. 18). Die Ausführung des Urteils in der Priesterstadt Nob besorgen dann die Soldaten Sauls (V. 19).

Außerhalb des Bereichs realer Rechtsfälle, aber auf ihrem Hintergrund, spielt die Rolle des Königs als pater familias mit hinein in die fiktiven Texte der Aufstiegsgeschichte Davids, deren Verfasser den König weitgehend in Analogie zum pater familias zeichnete.[170] Hierfür sind entscheidend die volle Verfügungsgewalt über seine Kinder und die Rechtskompetenz in familiären Konflikten, sogar bei Entscheidungen über Leben und

---

[167] Vgl. *Rüterswörden*, Beamte 15.19.93f.119f; *Ringgren*, art. *ʿābad* 997–999.

[168] Vgl. dazu *Boecker*, Redeformen 88f; *Whitelam*, King 83f.

[169] Durch den Rechtstatbestand der Verschwörung ist die Gerichtsbarkeit des pater familias allerdings schon überschritten im Hinblick auf eine Gerichtsbarkeit des Königs gegenüber seinen Untergebenen (vgl. auch *Whitelam*, ebd. 85f).

[170] Vgl. *Kegler*, Geschehen 187.

Tod.[171] Gleichsam e negativo zeigt sich die Jurisdiktionskompetenz des Königs an den Stellen, wo er auf eine Bestrafung verzichtet, wie im Fall der Vergewaltigung Tamars durch Amnon und dessen Ermordung durch Abschalom (2 Sam 13).

Die Rechtsgrundlage der Jurisdiktion des pater familias zeigt sich auch in den von Salomo zu Beginn seiner Herrschaft entschiedenen Rechtsfällen über Mitglieder seines königlichen Haushalts, wobei allerdings gleichzeitig der Mißbrauch dieser Art der königlichen Gerichtsbarkeit deutlich wird, weshalb diese Fälle unter einem eigenen Abschnitt besprochen werden.[172]

In den Bereich der Jurisdiktion des Königs als pater familias fällt auch seine Rechtskompetenz über das Krongut.[173] Hierauf bezieht sich der Fall des Merib-Baal (2 Sam 19,25–31)[174] und dann aus dem Nordreich der Fall der Frau aus Schunem (2 Kön 8,1–6), die nach siebenjähriger Abwesenheit wieder ins Land zurückkehrt und ihren Besitz konfisziert findet, weshalb sie sich an den König wendet. Der hierbei auftretende Terminus technicus ṣāʿaq zeigt das Vorliegen eines Rechtsfalles an.[175] Seit A. *Alt* wird angenommen, daß der Besitz der außer Landes gegangenen Frau dem Krongut anheimgefallen sei und er nun aufgrund der Klage der Frau vom König restituiert werde.[176]

Somit erfährt die judikative Rolle des pater familias eine bedeutende Aufwertung im Königtum: da die Organisation des Staates seit Saul die eines königlichen Haushaltes ist und diese auch beibehalten wird, weitet sich die Rolle des pater familias von der Judikative in der Großfamilie auf die Judikative über die königlichen Diener aus. Parallel dazu verläuft der Prozeß der Schwächung der Autorität des pater familias in den Großfamilien, die seit Beginn des Staates in Auflösung begriffen sind.

---

[171] Vgl. ebd.

[172] S. u. III, 2.322 zu 1 Kön 2,13–25.26–27.28–34.

[173] Vgl. dazu *Noth*, Krongut passim; *Alt*, Anteil 356–372; *Weinfeld*, Judge 68; *Clauss*, Gesellschaft 17–20.

[174] Vgl. dazu *Macholz*, Stellung 170f; *Whitelam*, King 146f und bes. *Ben-Barak*, Meribaal, bes. 97f.

[175] Zu ṣāʿaq als Terminus technicus des Rechtslebens vgl. *Boecker*, Redeformen 62–66; *Albertz*, art. ṣʿq 571–573; *Hasel*, art. zāʿaq 632–636.

[176] Vgl. *Alt*, Anteil 364 und in seiner Folge *Macholz*, Stellung 175; *Würthwein*, Könige 317f.

2.32 Neuerungen in der Jurisdiktion durch die königliche Gerichtsbarkeit

Im Unterschied zu der heute am meisten verbreiteten Forschungsrichtung gehen wir nicht davon aus, daß sich das Königtum ohne jeglichen Widerspruch in die bisherige Jurisdiktionsstruktur, wie sie seit der vorstaatlichen Zeit gewachsen ist, eingefügt hat.[177] Hierfür spricht zunächst ein allgemeines Argument: Eine neu aufstrebende Königsherrschaft versucht möglichst viele Bereiche der Administration zu beeinflussen, was immer auf Kosten der bisherigen Oberschicht geht. Hierzu bildet das Königtum in den Reichen Juda und Israel keine Ausnahme. Im Blick auf die Rechtspflege lassen sich in diesen Königreichen zwei Zugangswege deutlich machen, auf denen das Königtum in die bisherige Rechtsprechung eindrang. Bevor aber diese neuen Aspekte der königlichen Gerichtsbarkeit besprochen werden, ist zu fragen, ob der Hauptstadt, die politisch eine Sonderstellung einnahm, eine herausragende Stellung auch in der Gerichtsorganisation zukam.

2.321 Gab es eine Ortsgerichtsbarkeit des Königs in der Hauptstadt?

In der gegenwärtigen Forschung wird die Jurisdiktionskompetenz des Königs in einigen Rechtsfällen damit erklärt, daß er in seinen Stadtstaaten Jerusalem und Samaria die Gerichtsbarkeit innehatte.[178] Für diese beiden Stadtstaaten gilt, daß sie im Besitz des Königs sind, das heißt Jerusalem ist aufgrund der davidischen Eroberung die Stadt Davids und der Davididen, und Samaria kommt derselbe Status aufgrund seiner Erbauung durch Omri zu.[179] Bevor sich das Königtum in diesen beiden Städten etablierte,

---

[177] Vgl. zu dieser Richtung bes. *Macholz*, ebd. 177; *Boecker*, Recht 35.

[178] Vgl. *Begrich*, Sofer 26 Anm. 2; *Donner*, Studien 35; *ders.*, Botschaft 236 Anm. 15; *Boecker*, Redeformen 12; *ders.*, Recht 34–37.
Vorsichtiger *Macholz*, Stellung 176, der für den Stadtstaat Samaria hervorhebt, daß hier die Bürger der königlichen Gerichtsbarkeit unterstanden, und die Annahme äußert, daß dies vielleicht in Jerusalem zur Zeit der Doppelmonarchie auch der Fall war. Allerdings gibt er zu, daß dies nicht belegt ist. Gegen eine Ortsgerichtsbarkeit des Königs spricht sich *Whitelam*, King 124 aus.

[179] Vgl. *Alt*, Königtum 123f; *ders.*, Stadtstaat passim; vorsichtiger *Buccellati*, Cities 169–193.215–224.
Fraglich ist *Alt's* These, daß Omri neben Jesreel als Residenzstadt auf israelitischem Boden Samaria auf kanaanäischem Boden errichtete, um somit den Ansprüchen beider Bevölkerungsteile gerecht zu werden (Stadtstaat 265–270).

gab es in ihnen auch keine israelitische Ältestengerichtsbarkeit, so daß der König unangefochten durch althergebrachte Institutionen der Rechtspflege die Gerichtsbarkeit in den Stadtstaaten Jerusalem und Juda für sich in Anspruch nehmen konnte.

Neben diesen grundsätzlichen Überlegungen, die für eine Ortsgerichtsbarkeit des Königs in Jerusalem und Samaria sprechen könnten, lassen sich auch einige textliche Belege heranziehen. Hier ist zunächst 2 Sam 15,1–6 anzuführen:

> [1]Und es geschah danach folgendes, Abschalom schaffte sich Wagen und Pferde an und fünfzig Mann, die vor ihm herliefen. [2]Und Abschalom machte sich früh am Morgen auf und stellte sich am Weg zum Tor auf. Und es geschah, daß Abschalom jeden, der einen Rechtsstreit der Art hatte, daß man damit zum König zum Entscheid kam, zu sich rief und ihn fragte: „Aus welcher Stadt bist du?" Antwortete er: „Aus einem der Stämme Israels ist dein Knecht", [3]dann sagte Abschalom zu ihm: „Sieh, deine Sache ist gut und recht, aber beim König ist niemand, der dir Gehör schenkt." [4]Darauf fuhr Abschalom fort: „Würde man mich doch zum Statthalter im Lande bestellen, daß jeder, der einen Prozeß oder eine Rechtssache hat, zu mir käme und ich ihm Recht verschaffte." ...

Zunächst spricht der Text von der Möglichkeit bzw. von der Praxis, zum Gericht des Königs nach Jerusalem zu kommen (VV. 2.6). Auffällig ist allerdings, daß die Rechtsuchenden nicht nur aus Jerusalem, sondern aus unterschiedlichen Stämmen (V.2) zusammenkommen, was gegen eine Ortsgerichtsbarkeit des Königs, die sich auf die Jerusalemer erstreckt, spricht.[180] Deshalb wählte man teilweise in der Forschung den Ausweg, den König als die oberste Jurisdiktionsinstanz im Lande zu verstehen, zu der jeder mit seinen Rechtsstreitigkeiten nach Jerusalem kommen konnte.[181] Allerdings kann eine derartige Stellung des Königs in der Rechtspflege auch sonst nicht für Israel belegt werden, so daß man besser auf ein solches argumentum e silentio verzichtet.

Dagegen hat eine sachgemäße Erklärung des juristischen Hintergrundes

---

Vgl. hierzu die Kritik bei *Buccellati*, Cities 191–193.228–232 und *Dietrich*, Israel 62 mit Anm. 11.

Vgl. zum gesamten Komplex *Schäfer-Lichtenberger*, Stadt 381–417, die die Existenz von Stadtstaaten Jerusalem und Samaria in Israel ablehnt; zum Widerspruch dagegen vgl. zuletzt *Olivier*, Search 122–126.132.

[180] Vgl. *Boecker*, Recht 38.

[181] Vgl. etwa *Hertzberg*, Samuel 272; *Nötscher*, Altertumskunde 125; *Donner*, Studien 32f.

von 2 Sam 15,1–6 drei Sachverhalte zu berücksichtigen, auf die in der bisherigen Forschung bereits aufmerksam gemacht wurde:

(1) Den Kontext der kurzen Erzählung bildet das Streben Abschaloms nach der Königsherrschaft und nicht nach einem Richteramt. Dies kommt zum Ausdruck durch die Ausrüstung Abschaloms (V. 1; vgl. 1 Kön 1,5) sowie in V. 4 durch den politisch aufzufassenden und nicht auf den forensischen Bereich einzuschränkenden Titel *šopeṭ bāʾāraeṣ,* worunter ein Gouverneur oder Statthalter zu verstehen ist.[182]

(2) Da nicht von zwei Rechtskontrahenten, die vor den König treten, die Rede ist (vgl. 1 Kön 3,16–28), scheint der König selber Partei im Rechtsverfahren zu sein.[183] Hieraus ist zu schließen, daß es sich bei den von überall aus dem Land beigebrachten und zur Entscheidung anstehenden Fällen um Streitigkeiten zwischen den Bürgern einerseits und dem König und seiner Administration andererseits handelt.[184] Zum Vergleich läßt sich der Fall der Frau aus Schunem (2 Kön 8,1–6) heranziehen, wo ebenfalls ein Konflikt mit der königlichen Administration geschildert wird, in dem der König selber Partei ist.

(3) Die Übersetzung von V. 2 als „einen Rechtsstreit der Art, daß man damit zum König zum Entscheid kam"[185] zeigt, daß es nicht um beliebige Rechtsfälle geht, die in Jerusalem zum Entscheid vorgelegt werden.

---

[182] Vgl. dazu *Niehr,* Herrschen 131–134.
Ein Beispiel dafür, wohin die vorschnelle Übersetzung „Richter im Lande" führen kann, bietet *Seebaß,* David 13f, demzufolge David dieses Amt eines „Richters im Lande" im Sinne eines obersten Rechtshelfers zukam. Er desavouierte dieses Amt aber in der Batseba-Affaire, weshalb Abschalom politisches Kapital aus dieser Affaire dadurch schlug, daß er nach dem Amt des „Richters im Lande" strebte. Im weiteren Verlauf seiner Arbeit, in der sich *Seebaß* auf die in der Thronfolgegeschichte auftretenden Rechtsfälle konzentriert, nimmt er das Amt des „Richters im Lande" als Dreh- und Angelpunkt seiner Argumentation.

[183] Vgl. *Boecker,* Recht 38.

[184] Vgl. *Crüsemann,* Widerstand 98f; *Whitelam,* King 139.
Schon *Alt,* Ursprünge 299 Anm. 1 verwies hinsichtlich der vor den König und seine Beamten zu bringenden Rechtssachen in 2 Sam 15,2 auf eine Verwaltungsgerichtsbarkeit, die sich auf staatliche Forderungen wie Heerbannfolge, Fron- und Abgabepflichten bezieht. Diese Details lassen sich zwar nicht aus 2 Sam 15,1–6 ersehen, dennoch liegt *Alt* mit seiner Vermutung wohl richtig. Vgl. noch *Boecker,* Recht 38, der *Alt* aufgreift und die von *Alt* genannten Rechtsbereiche der militärischen Gerichtsbarkeit des Königs unterordnet, was so kaum haltbar ist.

[185] *Macholz,* Stellung 169; aufgenommen bei *Boecker,* Recht 38.

Diese Überlegungen lassen es für die Textbasis von 2 Sam 15,1–6 nicht zu, von einer Ortsgerichtsbarkeit des Königs in seinem Stadtstaat zu sprechen, vielmehr muß genauer von einer Verwaltungsgerichtsbarkeit des Königs gesprochen werden, auf die noch im einzelnen einzugehen ist.[186] Fraglich ist auch, wie es mit den Fällen aussieht, die über 2 Sam 15,1–5 hinaus als Belege für eine Ortsgerichtsbarkeit des Königs in Jerusalem und Samaria herangezogen werden. Angeführt werden 1 Kön 3,16–28; 2 Kön 6,24–31 und Jer 26,1–19. Betrachtet man diese Texte im einzelnen, so weisen sie jedoch alle ihre Schwierigkeiten auf, sie als historisch auswertbare Quellen für eine Ortsgerichtsbarkeit in der Hauptstadt in Anspruch zu nehmen. So gehört die Erzählung über das salomonische Urteil (1 Kön 3,16–28) in den Bereich der späten königsideologischen Texte,[187] die für Einzelfragen hinsichtlich der Stellung des Königs in der Gerichtsverfassung nicht aussagekräftig sind. Die Erzählung von der Hungersnot in Samaria und der dadurch ausgelösten Ereignisse (2 Kön 6,24–31) handelt trotz ihrer juristischen Elemente[188] nicht von einem klugen oder versagenden Richter, vielmehr will sie eine Notsituation illustrieren,[189] so daß auch auf dieser Basis keine Rückschlüsse über die rechtliche Stellung des Königs in Samaria gezogen werden können. Schließlich gehört der Text Jer 26,1–19 in die späte Königszeit, wo er Zeugnis ablegt für eine Verwaltungsgerichtsbarkeit, wie sie durch die königlichen Beamten vollzogen wird.[190]

Da es weitere Belege für eine Ortsgerichtsbarkeit des Königs in den Hauptstädten des Nord- und Südreichs nicht gibt, sollte eine derartige Jurisdiktionskompetenz des Königs, die sich auf den Besitz seiner Stadt stützt, auch nicht weiter erwogen werden. Den Quellen zufolge hat es sie nicht gegeben, so daß die Gerichtsbarkeit in Jerusalem und Samaria wie in jeder anderen israelitischen Stadt funktionierte, das heißt als Ältestengerichtsbarkeit der Vollbürger.

Andererseits ergeben sich Indizien für eine Verwaltungsgerichtsbarkeit (2 Sam 15,1–6; 2 Kön 8,1–6; Jer 26,1–19), in der der König als Oberhaupt

---

[186] S. u. III, 2.323.
   Vgl. noch zum ganzen *Clauss*, Gesellschaft 13, der den Aspekt der rechtlichen Schwierigkeiten der Israeliten mit der königlichen Administration belegt.
[187] S. u. Exkurs 1.
[188] Vgl. dazu *Boecker*, Redeformen 63.163.
[189] Vgl. *Würthwein*, Könige 312.
[190] Vgl. dazu III, 2.5.

der Verwaltung Recht sprechen oder auch diese Rechtsprechungskompetenz an Beamte delegieren konnte.[191]

Für den Stadtstaat Jerusalem ist hingegen eine Ältestengerichtsbarkeit vorauszusetzen, wie auch sonst in allen anderen Städten Israels und Judas. Diese Institution wird für Jerusalem allerdings nur indirekt durch literarische Zeugnisse bestätigt. So wird sie unter der Bezeichnung „Bewohner Jerusalems und Mann aus Juda" in Jes 5,1–7 vorausgesetzt. Ebenso ist auf Mi 3,11 zu verweisen, wo die Ältesten unter der Bezeichnung „Häupter" auf Jerusalem bezogen werden und ihnen der Vorwurf des Rechtsprechens um Bestechung gemacht wird. Als nicht mehr existent wird eine Gerichtsbarkeit der Ältesten Jerusalems in Klgl 5,14 beklagt.

Hinsichtlich des Stadtstaates Samaria hat H. Donner folgende Überlegung vorgebracht: „In Samaria, als einer kanaanäischen Stadt, dürfte es die klassische israelitische Form der gemeindlichen Gerichtsbarkeit kaum gegeben haben. Die Stadt hatte, als Omri sie zu einer der Residenzen des Reiches Israel erhob, noch keinerlei geschichtliche Entwicklung durchlaufen. Demzufolge bezieht sich Am 5,7.10.11 entweder auf das Bemühen der Israeliten, die gemeindliche Gerichtsbarkeit auch in Samaria durchzusetzen, oder auf Versuche der Beamtenschaft, die Verhältnisse der Rechtsprechung im flachen Lande zu ihren Gunsten zu ändern."[192] Daß letzteres aber kaum zutrifft, zeigt sich daran, daß Amos von einer Gerichtsbarkeit im Tore spricht (Am 5,10.12.15), mit der die Ältestengerichtsbarkeit und nirgends die der Beamten gemeint ist.

---

[191] Vgl. dazu III, 2.323.
    Problematisch ist *Horsts* Feststellung, „daß es in Jerusalem (vgl. etwa Jer 26) und auch wohl in den Königs- und Festungsstädten Amtspersonen sind, durch die die jeweilige Rechtsgemeinde repräsentiert wird" (Naturrecht 252). Hiermit werden die Unterschiede zwischen der Ältestengerichtsbarkeit in den Hauptstädten und der Verwaltungsgerichtsbarkeit vorschnell verwischt.

[192] *Donner*, Botschaft 236 Anm. 15.
    Andererseits geht *Bettenzoli*, Anziani 70f sicherlich zu weit, wenn er behauptet, daß im Nordreich Israel die Jurisdiktion ausschließlich den Ältesten einzelner Stämme oder politischer Bezirke anvertraut war. Darin sieht *Bettenzoli* einen Gegensatz zum Südreich, in dem er unter Berufung auf 2 Sam 15,3f die Jurisdiktionskompetenz nur beim König lokalisiert, was in dieser Form nicht haltbar ist. Ein Unterschied in der Gerichtsorganisation von Nord- und Südreich läßt sich aufgrund der atl. Quellen nicht ausmachen.

2.322 Die Nutzbarmachung der Gerichtsbarkeit für die königliche Politik

Eines der Grundprobleme der Gerichtsbarkeit ist die Frage nach Autorität und Macht des Rechtsprechenden, da einem Rechtsspruch Durchsetzung verliehen werden muß. So konnte sich vor allem derjenige Zug der vorstaatlichen Gerichtsbarkeit im Königtum auswirken, der in besonderer Weise mit Macht verbunden war, nämlich die Stellung des Heerbannführers, der Soldaten hatte, um seine Angelegenheiten durchzusetzen. Von hier aus ist es nur ein kleiner Schritt, sich das Rechtssystem zunutze zu machen, etwa indem man unter dem Vorwand eines Gerichtsprozesses ein Urteil fällt, welches dann gegen einen politischen Gegner zu vollstrecken ist. Eine derartige Nutzbarmachung der Gerichtsbarkeit war schon in Mari belegt, wo sich der König der Gerichtsbarkeit bediente, um eigene Ziele in die Tat umzusetzen.[193] Wie einige Rechtsfälle aus der israelitischen Königszeit zeigen, haben es auch die Könige Judas und Israels verstanden, das System der Rechtsprechung für ihre Zwecke zu mißbrauchen. Unter diesem eher nüchternen Blickwinkel der königlichen Gerichtsbarkeit werden einige Rechtsfälle, in denen der König als Richter amtiert, in das ihnen zukommende Licht gestellt.

Aus Davids Zeit als Heerbannführer ist die Erzählung von 2 Sam 1,1–16 heranzuziehen. Das Kapitel gehört in den weiteren Kontext der Maßnahmen zur Sicherung der Herrschaft, in den auch die Liquidierung von Königsmördern gehört.[194] Nach der Analyse von *J. H. Grønbaek* ist die Erzählung von 2 Sam 1 als Fiktion aufzufassen, die den Tod Sauls mit der Salbung Davids zum König von Juda in Verbindung bringen will.[195] Die Träger dieser Überlieferung sind in höfischen oder militärischen Kreisen um David zu suchen, wofür angeführt werden kann „die selbstverständliche, kritiklose Akzeptierung des Willkürrechts des Königs auf spontane Hinrichtungen, die dem alten traditionellen Rechtsverfahren der dörflichen und städtischen (Tor-)Gerichtsbarkeit Hohn spricht. Im Gegenteil: Die Willkürmaßnahme des Königs wird als richtig und als Zeichen seiner Unschuld sowie seines Eintretens für die Bestrafung von Tabubrechern verstanden".[196] Hierin wirkt zusätzlich das Bild des pater familias, der

---

[193] Vgl. dazu II, 1.12.

[194] Vgl. dazu *Kegler*, Geschehen 94–99 und die Analyse der Aufstiegsgeschichte Davids bei *Lemche*, David's Rise passim.

[195] Vgl. *Grønbaek*, Geschichte 219–221.242.

[196] *Kegler*, Geschehen 99.

Entscheidungen über Leben und Tod fällen kann, nach.[197] Letztlich liegt der Erzählung die politische Überlegung zugrunde, daß die Mörder Sauls auch David kompromittieren könnten und er sich deshalb dieser Mörder entledigen muß.[198]

Auf dieser Linie liegen auch die in 2 Sam 4 geschilderten Ereignisse. David ist König in Hebron, und er übt nach diesem Text die Gerichtsbarkeit über die Benjaminiter aus, die weder zum königlichen Haushalt noch zum Heerbann gehören. Daß David hierbei die Pflichten eines Bluträchers für das Haus Saul auf sich nimmt,[199] läßt sich schon deshalb nicht halten, weil David dies nicht als Grund seines Handelns anführt, sondern auf das geschehene Unrecht hinweist, für das er Rechenschaft fordert (V. 11). Der Hintergrund für Davids Aktion ist eher darin zu sehen, daß der Mord an Ischbaal, der David nur zu gelegen kam, ihn genauso kompromittieren konnte wie der Mord an Saul, weshalb David unter dem Anschein des Rechtes die Mörder verurteilte.[200] Die in 2 Sam 21,1–14 geschilderte Auslieferung der Söhne Sauls an die Gibeoniter steht, auch wenn hier der forensische Aspekt zugunsten des theologischen nicht so ausgeprägt ist, im selben Horizont der Nutzbarmachung und wirft Licht auf den Fall von 2 Sam 4.

Unter Salomo geht diese Nutzbarmachung der Gerichtsbarkeit für die Zwecke der königlichen Politik weiter. So gehört in diese Kategorie die Niedermachung des Adonija (1 Kön 2,13–25), der über seine Mutter Batseba an Salomo die Bitte richtete, die letzte Nebenfrau Davids zur Frau zu erhalten (VV. 17.21). Ein eigentlicher Prozeß gegen Adonija findet nicht statt, was sich dadurch erklärt, daß ein Fall von Hochverrat nicht vorliegt, da Abischag nicht als Frau Davids gegolten hatte. Insofern ist die Deutung der Bitte Adonijas als Hochverrat, wie sie Salomo vornimmt (V. 22), nur ein Vorwand, den Bittsteller aus dem Weg zu räumen.[201] Salomo, der als Ankläger und Richter agiert, kann deshalb ein Todesurteil fällen und dieses sogleich vollstrecken lassen. Das ganze ist

---

[197] Vgl. ebd. 97.

[198] Vgl. *Ishida*, Dynasties 73; *Whitelam*, King 105.

[199] So *Macholz*, Stellung 164f.

[200] Vgl. dazu auch *Ishida*, Dynasties 73; *Whitelam*, King 110–112.120.

[201] Vgl. *Würthwein*, Könige 22f, gefolgt von *Loretz*, Ugaritisch *skn* 127; vgl. auch die Zweifel bei *Whitelam*, King 152. Nicht überzeugend ist die Analyse des Falles bei *Seebaß*, David 39–41, der zum Schluß gelangt, daß die Hinrichtung des Adonija „rechtlich und sachlich unanfechtbar" (41) war. Problematisch ist z.T. auch *Tsevat*, Marriage passim bezüglich der rechtlichen Hintergründe des Falles.

ein geplanter Justizmord,[202] für den Adonija ungeschickterweise selber den willkommenen Anlaß bot.

Im engen Zusammenhang hiermit wird auch gegen Abjatar das Urteil gefällt (1 Kön 2,26), dieses aber dann nicht ausgeführt. Eine Anklage wird nicht eigens formuliert.[203]

Im Falle des Joab (1 Kön 2,28–35), der in den Thronwirren nach dem Abtreten Davids auf der Seite des Adonija gestanden hatte (1 Kön 1,7.19), geht sogar das Urteil (V. 29) der Anklage (VV. 31f) voraus. Begleitet wird dieses Mißverhältnis von einem Bruch des Asylrechts im Heiligtum, über das sich der König einfach hinwegsetzte.

Die hier geschilderten Rechtsfälle funktionieren hinsichtlich der Gerichtsbarkeit des Königs auf der durch ihn rezipierten Jurisdiktionskompetenz des pater familias, stehen aber deutlich im Kontext der Nutzbarmachung der Gerichtsbarkeit für die Ziele der königlichen Politik. Dies wird auch daran ersichtlich, daß hier keine Prozesse im eigentlichen Sinne abgehalten werden. Daß es nur um die Nutzbarmachung der Gerichtsbarkeit geht, zeigt der nächste Fall, bei dem der Verurteilte kein Mitglied des königlichen Hofstaates ist. Der Fall des Schimi besteht im wesentlichen darin, daß Salomo einen Vorwand sucht, ihn, den Majestätsbeleidiger, der bislang ungestraft geblieben war, aus dem Weg zu räumen (1 Kön 2,36–46).[204] Zwar hatte Schimi schon vorher bei David Verzeihung erlangt (2 Sam 19,24), womit sich der Befehl Davids an Salomo, Schimi zu töten (1 Kön 2,8f), stößt, so daß dieser Befehl als spätere, prosalomonische Einfügung zu werten ist.[205]

Daß diese vier scheinbaren Rechtsfälle am Anfang der Herrschaft Salomos stehen, ist kein Zufall, vielmehr spielt die Nutzbarmachung der königlichen Jurisdiktion für politische Zwecke eine wichtige Rolle bei der Festigung der Königsmacht in der Hand Salomos.[206] Es geht bei diesen vier Texten nicht um Rechtsfälle im eigentlichen Sinn des Wortes, sondern um „Säuberungsmaßnahmen bei Regierungsantritt"[207] „mit einem Schein der Legalität",[208] die also kein direktes Licht auf die Stellung des Königs

---

[202] Vgl. *Whitelam*, King 152.

[203] Nach *Würthwein*, Könige 23 handelt es sich bei diesem Text um einen Nachtrag in der Thronfolgegeschichte.

[204] Vgl. dazu *Gray*, Kings 104; *Würthwein*, ebd. 24f.

[205] Vgl. *Würthwein*, ebd. 27.

[206] Vgl. *Whitelam*, King 155; *Würthwein*, Erzählung 15. Vgl. zu diesen Fällen noch im einzelnen *Seebaß*, David 39–46.

[207] *Würthwein*, ebd. 20.

[208] *Ders.*, Könige 27.

in der Gerichtsorganisation werfen, sondern lediglich die politische Durchsetzungspraxis des Thronfolgers illustrieren. Daß sich diese Nutzbarmachung der Gerichtsbarkeit weder auf die Anfänge des Königtums im Südreich, noch auf die Sicherung der Herrschaft beschränkt, zeigt der Fall Nabot (1 Kön 21). Es wurde schon hervorgehoben, daß nicht recht deutlich ist, warum der Rechtsfall über die Ältestengerichtsbarkeit abgewickelt wurde: Konnte diese nicht ausgeschaltet werden, oder diente sie als Vorwand, um die Beteiligung des Königs an diesem Fall zu kaschieren, bzw. trifft hier beides zusammen? Da der König durch Nabot direkt angegriffen wurde, konnte sein Besitz bei seiner Verurteilung an den König fallen,[209] womit der König über den Umweg der falschen Anklage, des Gerichtsverfahrens und des darauf basierenden Justizmordes sein Ziel erreicht hatte. Deutlich wird durch diese Geschichte der Verfall der Rechtsverhältnisse, da sich die Ältestengerichtsbarkeit, d. h. der Hüter des Rechts seit alters, vom Königtum korrumpieren ließ.[210] Dabei ist des weiteren zu berücksichtigen, daß zwischen den Rechtsverhältnissen des Erzählers und denen, über die er berichtet, Unterschiede bestehen können, so daß man nicht einfach von dieser Geschichte auf die Zeit Ahabs schließen kann.[211] Die spätere Wiederaufnahme der Nabotnovelle durch DtrP in 2 Kön 9,25f spricht davon, daß der Offizier Jehu und sein Adjutant Augenzeugen dieser Ereignisse um Nabot waren, was zeigt, daß in der späteren Rezeption der Nabotnovelle nicht rechtliche Fragen, sondern die mörderische Besitzergreifung durch den König Ahab als entscheidend betrachtet wurde. Insgesamt läßt sich die Nabotnovelle als erzählerische Ausgestaltung der prophetischen Sozialkritik des Bauernlegens und der bestechlichen Gerichtsbarkeit verstehen.[212]

---

[209] Vgl. ebd. 250; *Hentschel*, Könige 129. Siehe aber auch die bei *Timm*, Dynastie 123f vorgebrachten Einwände zu dieser These.

[210] Vgl. dazu *Gray*, Kings 440; *Würthwein*, Könige 251.

[211] Vgl. *Timm*, Dynastie 118. Schon vorher hatte *Schulz*, Todesrecht 116 Anm. 99, S. 117f Anm. 108 hervorgehoben, daß der Text bis auf die Tatsache der Ermordung Nabots durch Ahab um eines Grundstücks willen nicht historisch sei, weshalb z.B. *Würthwein*, Könige 251 ihn als Novelle klassifiziert.

[212] Vgl. *Timm*, Dynastie 117.

2.323 Königliche Beamte in der Rechtsprechung in vorjoschijanischer Zeit

Bei der Funktion des Königs als Richter fällt auf, daß der König immer selbst entscheidet, hingegen von königlichen Richtern nirgends die Rede ist. Dieser Eindruck bestätigt sich durch einen Blick auf die davidisch-salomonischen Beamtenlisten (2 Sam 8,15–18; 20,23–26; 1 Kön 4,1–6. 7–19), in denen ein Richter oder ein mit der Rechtspflege betrauter Beamter nicht auftritt.[213] Hiermit korrespondiert die Tatsache, daß der Titel *šopeṭ*, der den Richter bezeichnet, erst in spätvorexilischer Zeit diese Bedeutung annimmt[214] und ein Titel *dajjān* als ‚Richter‘ sich nur von Gott ausgesagt findet.[215] Wie jedoch oben schon kurz angesprochen, gab es eine Verwaltungsgerichtsbarkeit, die zuständig war für die Rechtsangelegenheiten, die zwischen den Bürgern und der königlichen Administration anfielen. Im Rahmen dieser Verwaltungsgerichtsbarkeit fungierte aber nicht nur, wie 2 Sam 15,1–6 zeigte, der König als Richter, es hatten sich auch die königlichen Beamten um die Rechtspflege zu kümmern.

Dabei ist hinsichtlich des Beamtentums im Alten Orient zunächst hervorzuheben, daß es sich hierbei um den Typ des patrimonialen Beamtentums handelt, für den insbesondere charakteristisch ist, daß in ihm Kompetenzen nicht fest definiert sind und somit auch die Funktionen der Beamten nicht eindeutig voneinander abgegrenzt sind.[216] Das Engagement von Beamten in der Rechtspflege wird vor allem in der prophetischen Literatur des 8. Jh. deutlich.

In der schon angesprochenen Stelle Hos 5,1 werden Priester, Königshof und die Sippenoberhäupter als die für das Recht Verantwortlichen bezeichnet. Die Aufgabe der Priester ist die sakrale Rechtsfindung, die der Ältesten die Torgerichtsbarkeit, und der Königshof steht für die königliche Verwaltung mit ihrer Gerichtsbarkeit.[217]

---

[213] *Donner*, Botschaft 230 Anm. 4 stellt dazu fest: „Offenbar hat David an dem seit alters gemeindlich geordneten Rechts- und Gerichtswesen nicht zu rütteln gewagt." Vgl. auch *ders.*, Studien 30 Anm. 3.
Auch der *mazkîr* kann nicht als der für die Rechtsprechung verantwortliche Beamte verstanden werden (vgl. zum Forschungsüberblick zu diesem Titel *Rüterswörden*, Beamte 89–91).

[214] Vgl. *Niehr*, Herrschen 127–171.

[215] Vgl. 1 Sam 24,16; Ps 68,6.
Erst in nachexilischer Zeit wird unter aramäischem Einfluß der Titel *dajjān* im AT für ‚Richter‘ verwendet (vgl. Esra 4,9).

[216] Vgl. dazu *Rüterswörden*, Beamte 1–3.

[217] Vgl. dazu *Wolff*, Hosea 125; *Mays*, Hosea 80; *Jeremias*, Hosea 74.

Bei den in Am 5,7.10f.12 gegen die Ältestengerichtsbarkeit erhobenen Vorwürfen, Recht und Gerechtigkeit zu verdrehen, den, der zum Recht mahnt, zu hassen sowie den, der die Wahrheit spricht, zu verabscheuen und die Armen von der Torgerichtsbarkeit fernzuhalten, ist auch daran gedacht worden, daß „die Beamtenschaft die Gerichtsbarkeit als eine Quelle zum Erwerb von Vermögen erkannt hatte und versuchte, die seit alters gemeindlich geordnete Rechtsprechung durch administrative Beamtengerichte abzulösen".[218] Darüber hinaus hat K. Koch gezeigt, daß das Niederstrecken der Armen im Tor durch das Eintreiben von staatlichen Steuern vonstatten ging.[219]

Ist bei den erwähnten Amos-Texten nicht ganz deutlich, wie weit hier noch mit der Ältestengerichtsbarkeit, worauf die Erwähnung der Torgerichtsbarkeit (VV. 10.12.15) hindeutet,[220] oder schon mit der Rechtsprechung durch königliche Beamte zu rechnen ist, so wird dies deutlicher durch einige Texte des Jerusalemer Jesaja. So läßt sich in Jes 10,1–2 die Einmischung der Beamten in die Torgerichtsbarkeit erkennen:

> Wehe denen, die Gesetze des Unheils machen
> und Verfügungen voll Mühsal verfassen,[221]
> um die Kleinbauern vom Rechtsweg abzudrängen
> und das Recht der Armen meines Volkes zu stehlen,
> so daß Witwen ihre Beute werden
> und sie die Waisen ausplündern.
> *(Jes 10,1–2)*

Bei den hier Angesprochenen handelt es sich um „königliche Beamte, die die Gesetzgebung der neuen politischen und wirtschaftlichen Lage anzupassen suchen".[222] Dies konkretisiert sich bei Jesaja im Vorwurf, die Armen vom Gericht fernzuhalten und das Recht der Bedürftigen zu stehlen (10,2). Der erste Teil des Weherufs ist dabei so zu verstehen, daß die noch nicht ganz besitzlosen Kleinbauern[223] vor Gericht abgewiesen werden, wozu Jes 1,23 mit der Klage, daß der Prozeß der Witwe nicht vor die Beamten zur Verhandlung gelangt, zu vergleichen ist. Nach Jes 10,2

---

[218] *Donner*, Botschaft 236.
[219] Vgl. *Koch*, Entstehung 245f.
[220] So *Fendler*, Sozialkritik 44.
[221] Vgl. zum Text *Wildberger*, Jesaja 179.
[222] *Wildberger*, ebd. 198; vgl. dazu noch *Koch*, Entstehung 247; *Schwantes*, Recht 102–106.
[223] Zu *dal* als ‚Kleinbauer' vgl. *Fabry*, art. *dal* 232f.

versuchen die Beamten, den Kleinbauern erst gar keine Appellationsmöglichkeit zu lassen, wozu synonym ist, daß der Rechtsanspruch der Armen, etwa auf Gerechtigkeit und ein entsprechendes Gerichtswesen, gestohlen wird. Als Konsequenz dazu zeigt 10,2b auf, daß Witwen und Waisen, die aufgrund ihres Status als Frauen und Minderjährige als nicht prozeßfähig erachtet wurden,[224] zur Beute der Oberschicht werden. Hieran fügt sich Jes 1,23 an, wo die Beamten Jerusalems als die Verantwortlichen für die Bedürftigen gerade in der Rechtsprechung angesehen werden:

> Deine Beamten sind Aufrührer und Diebesgenossen;
> sie alle lieben Bestechung und laufen Geschenken nach.
> Den Waisen verschaffen sie kein Recht,
> und der Rechtsstreit der Witwe gelangt nicht vor sie.

Eine rechtsgeschichtliche Deutung dieses Textes ist schwierig, da sich fragen läßt, ob die Nennung der Bedürftigen, die teilweise aus Jes 1,17 übernommen ist, an dieser Stelle nur erfolgt, um die Schlechtigkeit der Beamten noch deutlicher herauszustellen, oder ob Witwen und Waisen genannt werden, da sich gerade diese Gruppe in der Ältestengerichtsbarkeit am Tore nur schwer Gehör verschaffen konnte.[225] Bei dieser letzten Deutung würde sich nahelegen, daß königliche Beamte sich diesen von der Ältestengerichtsbarkeit vernachlässigten Bereichen der Rechtspflege zuzuwenden hätten. Damit wäre die Rechtsprechung ein Teil ihrer Aufgaben als königliche Beamte, was bedeutet, daß die Beamten an dieser Stelle nicht nur genannt sind, weil sie zur Oberschicht gehören und insofern auch richterliche Aufgaben wahrnehmen.[226] Nach all dem, was bislang über die Verwaltungsgerichtsbarkeit deutlich wurde, ist diese letzte Möglichkeit aber als unwahrscheinlich auszuschließen und eher eine Jurisdiktionskompetenz der königlichen Beamten anzunehmen. Diese setzen sich nicht für Witwen und Waisen ein, da sie keine Mittel zur Bezahlung der Beamten haben, worauf die Bezeichnung der Beamten als „Diebesgenos-

---

[224] Vgl. *Kaiser,* Buch 217.

[225] Vgl. noch nachexilisch Rut 4,1–12, wo Boas für Rut den Prozeß führt, aber auch vorexilisch Dtn 25,5–10, wo die Frau (Witwe) ihre Rechtssache im Tor selbst in die Hand nehmen soll. D.h. wohl, daß grundsätzlich die Frau an die Gerichtsbarkeit der Vollbürger oder die der Beamten appellieren konnte, sie aber de facto in einem von Männern beherrschten Rechtssystem nicht viel ausrichten konnte.

[226] Vgl. *Rüterswörden,* Beamte 113, der dieser Sicht zuneigt.

sen" sowie die Nennung ihrer auf Entlohnung versessenen Tätigkeit schließen läßt. Als Hintergrund zum Verständnis der Geldgier der Beamten ist darauf zu verweisen, daß diese kein reguläres Gehalt bezogen, sondern sich ihre Einkünfte sichern mußten.[227]

Somit zeigen die Texte Jes 1,23 und 10,1–2 dasselbe Phänomen, welches sich schon beim Königtum gezeigt hatte: die Nutzbarmachung der Gerichtsbarkeit für eigene Zwecke. Waren dies beim König vornehmlich politische Zwecke, so geht es bei den Beamten primär um Bereicherung. Älteste und Beamte, die die Oberschicht der Gesellschaft ausmachten, zogen in dieser Hinsicht am selben Strick.[228]

Ebenfalls auf eine forensische Aktion der Beamten deutet in der Zeit nach Jesaja der Text Mi 3,1.9. Hierin werden die Beamten in Parallele genannt zu den Häuptern des Hauses Israel, und als ihre Aufgabe wird das Kennen des Rechts (V.1) bezeichnet, welches sie aber verabscheuen (V.9). Deutlicher noch auf den forensischen Bereich bezieht sich dann der in V. 11 vorgebrachte Vorwurf, um Bestechung Recht zu sprechen. Wie schon bei Jesaja sind auch bei Micha die Sippenhäupter als Vertreter der alten gentilen Gerichtsbarkeit und die Beamten als Vertreter der Krone genannt.[229]

Wird somit in der prophetischen Literatur des 8. Jh. eine Rolle der Beamten in der Rechtsprechung nachweisbar, wenn auch nicht im Detail deutlich, so wird sich in der spätvorexilischen Zeit herausstellen, daß es gerade die Beamten sind, über die das Königtum einen größeren Einfluß auf die Gerichtsbarkeit ausüben kann.

2.4 Das Verhältnis von alter und neuer Gerichtsbarkeit: Konkurrenz oder Komplementarität?

Zieht man ein Fazit aus dem, was über das Weiterleben der vorstaatlichen Jurisdiktionsinstanzen in der staatlichen Gesellschaft gesagt wurde im Vergleich zu dem über die neue Institution des Königtums Gesagten, so ist zunächst kein Fall zu erkennen, in dem die herkömmliche Jurisdiktion und die königliche Gerichtsbarkeit als Konkurrenten auftreten. Die königliche Gerichtsbarkeit tastet die Kompetenz der Ortsgerichtsbarkeit

---

[227] Vgl. *Donner*, Botschaft 232–238 zu Beamtenbesoldung und Korruption.

[228] Vgl. dazu *Clauss*, Gesellschaft 24.

[229] Vgl. zur Diskussion der in Mi 3,1.9.11 genannten Titel *Wolff*, Micha 67f; *Koch*, Entstehung 246; *Mays*, Micha 78; *Deissler*, Zwölf Propheten 179.

nicht an und basiert zunächst auf den altetablierten Säulen der Gerichtsbarkeit des pater familias und des Heerbannführers, die der Ältestengerichtsbarkeit ihren Rang nicht streitig machen. Ebensowenig fungiert die königliche Gerichtsbarkeit als Oberinstanz zur Torgerichtsbarkeit, dergestalt daß sie etwa ihre Urteile aufheben könnte. Damit ist zunächst zu sagen: Die königliche Gerichtsbarkeit ist neben der Gerichtsbarkeit des pater familias und der Ältesten sowie des Heerbannführers ein weiteres Organ der Gerichtsbarkeit, welches erst nach der Staatswerdung als Teil der neuen Institution des Königtums auftritt. Hier tritt sie vor allem hervor als Verwaltungsgerichtsbarkeit im Rechtsbereich der königlichen Administration, der vorher so nicht existierte und zu dem die Ältestengerichtsbarkeit als herkömmliche Form der öffentlichen Gerichtsbarkeit keinen Zugang hatte. Somit hatten sowohl die Verwaltungsgerichtsbarkeit wie die Ältestengerichtsbarkeit ihre eigenen Bereiche, in denen sie forensische Verantwortung trugen und Jurisdiktionskompetenz ausübten. Das hieß in der Praxis, daß die Ältesten nur da unabhängig agierten, wo keine nationalen oder königlichen Interessen berührt wurden, also in lokalen Angelegenheiten und Familienfragen.[230]

Wie die Prophetentexte des 8. Jh. zeigen, ist das Zusammenwirken von alter und neuer Gerichtsbarkeit ambivalent: Einerseits mag es Versuche der Beamten gegeben haben, sich in die Ältestengerichtsbarkeit einzumischen, andererseits läßt sich auch im Bereich der Rechtspflege eine Kooperation beider Formen der Gerichtsbarkeit zeigen. Den Hintergrund hierfür hat zuletzt *M. Clauss* herausgestellt: „Die führenden Kräfte der alten Sippenordnung, die Ältesten, und die wichtigsten Träger der neuen Ordnung, die Beamten, hatten ein gemeinsames Interesse: die Bildung von Großgrundbesitz. Beide, Älteste und Beamte, waren in unterschiedlichen Bereichen mit richterlichen Vollmachten ausgestattet, so daß es gegen ihre Praktiken der Anhäufung von Land durch radikale Ausnutzung des Schuldrechts und der Institution des Pfandwesens für die kleinen Bauern keine Berufungsinstanz gab."[231]

---

[230] Vgl. *Weinfeld*, Judge 81.

[231] *Clauss*, Gesellschaft 24. – Zum gemeinsamen Auftreten von Ältesten und Beamten vgl. Ri 8,14; Jes 3,14; 2 Kön 10,1; Ps 105,22; Klgl 5,12; Esra 10,8. Ein anschauliches Beispiel für die Verflechtung von Ältesten und Beamten liefert in der Königszeit die Familie des Schafan, aus der zwei Söhne königliche Beamte sind und zwei als Älteste zur Führungsschicht gehören (vgl. dazu *Rüterswörden*, Beamte 115–117; *Clauss*, Gesellschaft 22).
Vgl. zu den Ältesten der Hauptstädte als Teil der Oberschicht noch *McKenzie*, Elders 528f.538f; *Donner*, Botschaft 238 Anm. 24; *Conrad*, art. *zāqēn* 646.

Daß sich Beamte und Älteste im Bereich der Gerichtsbarkeit nicht ins Gehege kamen, läßt sich außer an ihren gemeinsamen Interessen noch an einem anderen Punkt zeigen. Nach der Durchsicht der Texte, die sich mit einer forensischen Tätigkeit königlicher Beamter in vorjoschijanischer Zeit beschäftigen, fällt auf, daß sich alle diese Texte auf die Hauptstadt beziehen. Darauf deutet in der frühen Königszeit schon 2 Sam 15,1–6, da diesem Text zufolge die Prozessierenden nach Jerusalem zum König kommen. Aus dem Nordreich ist auf 2 Kön 8,1–6 zu verweisen, da die Schunamitin ihre Angelegenheit vor dem König in Samaria regelt. Damit steht in Einklang, daß die in der frühen Königszeit lokalisierbaren Krongüter in der Nähe von und auf dem Boden des Stadtstaates Jerusalem lagen,[232] so daß auch von hier die Verwaltungsgerichtsbarkeit des Königs ihren Ausgang nahm.

Angesichts des Verhältnisses von Ältesten- und Beamtengerichtsbarkeit wird ein weiteres deutlich. Will man das Rechtssystem reformieren, so genügt es nicht, Anklagen vorzubringen, wie es die Propheten getan hatten. Vielmehr müssen Männer eingesetzt werden, die die Ältesten in ihrem angestammten und mittlerweile desavouierten Engagement für die Rechtspflege überwachen und letztlich hieraus verdrängen und die außerdem nicht einfach identisch sind mit den bisherigen Staatsbeamten. Somit wird aufgrund einer zu gut gelungenen Komplementarität von nichtstaatlicher und staatlicher Rechtspflege, die der Gefahr der Verfilzung erlegen ist, das Bedürfnis nach eigenen Richtern wach, ein Bedürfnis, dem – wie der nächste Abschnitt zeigt – in spätvorexilischer Zeit Joschija im Kontext seiner Reformmaßnahmen nachkam.

Eine zu geringe Konkurrenz zwischen der vorstaatlichen und der staatlichen Form der Gerichtsbarkeit zeigt sich auch in den Fällen, in denen der König die Gerichtsbarkeit für eigene Zwecke von Politik und Besitzvermehrung teilweise in Zusammenarbeit mit der Ältestengerichtsbarkeit mißbraucht. Auch hier produziert die zu gut gelungene Komplementarität beider Formen der Gerichtsbarkeit eine entsprechende Konsequenz. Kurz nach den Reformmaßnahmen unter Joschija bezeichnet das Königsgesetz des Deuteronomiums (Dtn 17,14–20) das Ende des Zusammenspiels beider Formen der Gerichtsbarkeit. Auffallend ist hierin vor allem, daß der König innerhalb des Rechtswesens keine Stellung mehr einnimmt, dieses vielmehr seine Träger in Richtern und Priestern hat. Nach allen bisherigen Erfahrungen bringt das Ämtergesetz des Deuteronomiums

---

[232] Vgl. *Alt,* Anteil 363 Anm. 1.

zum Ausdruck, daß Rechtsprechung nicht mehr an Herrschaft geknüpft werden soll.[233]

2.5 Die joschijanische Reform und die königliche Gerichtsbarkeit

Konnte anläßlich der Entstehung der königlichen Gerichtsbarkeit verfolgt werden, wie diese ansatzhaft in die bisher existierende Gerichtsbarkeit eindrang bzw. Elemente aus ihr aufnahm, so ist mit der Reform des Joschija der zweite Akt des Vordringens der königlichen Gerichtsbarkeit gegeben. Dies wird deutlich an einer Reihe von spätvorexilischen Texten, die zum erstenmal in der Geschichte der israelitischen Gerichtsorganisation von ‚Richtern' sprechen. Da dies im Umkreis der Reform des Joschija bzw. später auftritt, ist dem Zusammenhang zwischen der Kultusreform und der damit verbundenen Reform der Administration, in die hinein auch die Gerichtsreform gehört, nachzugehen. Beide Reformen gehören in den Bereich der Zentralisationsmaßnahmen unter Joschija.[234]

2.51 Kult und Gerichtsbarkeit

Im außer- und vorisraelitischen Bereich ist der Zusammenhang von Tempel und Gerichtsbarkeit vor allem aus Sumer belegt. Demgegenüber fiel bei der Behandlung der Maritexte auf, daß hier von einer Tempelgerichtsbarkeit nicht die Rede ist. Aus den assyrisch-babylonischen Texten ergab sich die Situation einer immer stärkeren Ausschaltung der Tempelgerichtsbarkeit zugunsten der staatlich verwalteten Gerichtsbarkeit.
In Israel ist die priesterliche Gerichtsbarkeit geprägt durch die Verwaltung von Eiden, Losen und Ordalen.[235] Diese von der weltlichen Gerichtsbarkeit unterschiedene Rechtsfindung hatte ihren Ort vornehmlich an den Höhenheiligtümern unter der Aufsicht von Priestern[236] bzw. an anderen

---

[233] Vgl. zu Dtn 17,14–20 bes. *Halbe*, Gemeinschaft 60–63; *García-López*, Roi bes. 291–296 und zuletzt *Rüterswörden*, Gemeinschaft 50–66.

[234] Vgl. zu den Zentralisationsgesetzen des Dtn als deren Niederschlag *Seitz*, Studien 187–222; *Preuß*, Deuteronomium 116–118.

[235] Vgl. zum Eid Ex 22,7; zum Los Ex 22,8; 28,30; 1 Sam 2,25; Spr 16,33 und zum Ordal Num 5,11–31.
Zur gerichtlichen Aktivität der Priester vgl. *Rost*, Gerichtshoheit 229f; *Preß*, Ordal 121–140.227–231; *Reventlow*, Recht 285–297; *Cody*, History 120–123; *Weinfeld*, Deuteronomy 233f; *Budd*, Instruction 11–14; *Ward*, Superstition passim.

[236] Vgl. *Hempel*, Schichten 186–188; *Weinfeld*, Deuteronomy 233f.

ausgezeichneten Orten. So wird in Ri 4,4f am Beispiel der Debora, die den Titel einer ‚Prophetin' trägt, die Orakelpraxis der vorstaatlichen Zeit ersichtlich. Ebenso ließ sich beim Prozeß Sauls gegen Jonatan ein Mitwirken der Priester aufgrund der zur Anwendung gelangten Losorakel entnehmen (1 Sam 14,36–42). Gerade in diesem Text ist deutlich, wie sehr Saul in seiner Jurisdiktionskompetenz als Heerbannführer von der priesterlichen Methode der Rechtsfindung abhängig war. Ein derartiges Mitwirken von Priestern bei der Klärung eines anders nicht lösbaren, umstrittenen Sachverhaltes ist auch im Falle des Diebstahls von Achan (Jos 7,10–26) sowie in der Bestimmung des Bundesbuches über die Haftung für fremdes Eigentum (Ex 22,6–14) anzunehmen.

Allerdings ist die Rolle des Priesters nicht nur auf die eines Rechtshelfers beschränkt. Vielmehr ist es die Aufgabe der priesterlichen Gerichtsbarkeit, über kultische Reinheit bzw. Unreinheit zu befinden und über Fragen der Religion zu lehren[237] sowie mitzuwirken an der kultischen Institution der Gottesgerichtsbarkeit im Tempel.[238] Für die Kultteilnehmer ergibt sich erst aufgrund dieser richterlichen Tätigkeit der Priester die Möglichkeit bzw. die Unmöglichkeit, am Kult teilzunehmen.[239] Dies gilt auch für die Anrechnung von Opfergaben[240] oder von Blutschuld.[241] Das hierbei entscheidende Verb *ḥāšab* bezeichnet dabei einen deklaratorischen Akt, den der Priester im Auftrag JHWHs vornimmt.[242] Die richterliche Tätigkeit des Priesters wird des weiteren in den Torliturgien deutlich, wofür Ps 15 und 24 Beispiele darstellen.[243] Noch wichtiger ist die Institution der Gottesgerichtsbarkeit wie sie in den Psalmen hervortritt.[244]

---

[237] Vgl. dazu *Begrich*, Tora passim; *Groß*, Priestertum 376f; *Dommershausen*, art. *kohen* 70f.

[238] Vgl. dazu *Groß*, ebd. 378f.

[239] Vgl. dazu *Reventlow*, Blut 439f; *ders.*, Recht 288–291.

[240] Vgl. Lev 7,18; Num 18,27.

[241] Vgl. Lev 17,4.

[242] Vgl. dazu *von Rad*, Anrechnung 131; *Seybold*, art. *ḥāšab* 256–258.

[243] Vgl. dazu *Groß*, Priestertum 378.

[244] Vgl. dazu *Schmid*, Gebet passim; *Kutsch*, Gottesurteil 1808f; *Delekat*, Asylie 74–193; *Beyerlin*, Rettung 141–147; *Seybold*, Gericht 464f; *Groß*, Priestertum 378f.
Die Institution der Tempelgerichtsbarkeit ist in Israel allerdings auch nicht zu überschätzen. Vgl. zu einer Kritik an den Arbeiten von *Schmid*, *Delekat* und *Beyerlin* zuletzt *Janowski*, Rettungsgewißheit 8–10, sowie ebd. 137–141 zu Ps 5 als einem Beleg für die Tempelgerichtsbarkeit. Trotz aller Anfragen an eine Rechtsinstitution im Tempel ist aber ein – wie auch immer beschaffenes – Gottesgericht nicht abzulehnen (vgl. dazu bes. *Seybold*, Gericht 464f).

Hierbei ist es der Priester, der den Freispruch über den schuldlos Angeklagten fällt[245] und somit das Urteil Gottes repräsentiert, bzw. im Namen Gottes als Richter über Schuld und Unschuld agiert.

Eine richterliche Rolle des Priesters ist auch an den Stellen anzunehmen, an denen von einem Reinigungseid die Rede ist. Dieser wird vom Beklagten im Tempel geschworen (1 Kön 8,31), wenn dieser durch keine ausreichenden Beweise überführt werden kann,[246] und er beendet den Prozeß zugunsten des Beschuldigten.[247]

Da nun im vorexilischen Israel mit einer Anzahl von Höhenheiligtümern zu rechnen ist, muß auch deren Funktion in der Rechtsprechung Israels berücksichtigt werden, welche durch die Kultusreform des Joschija ebenfalls in Mitleidenschaft gezogen wurde. Daß die im Kontext von Zentralisationsmaßnahmen stehende Kultusreform des Joschija im Rahmen einer Reform der Administration eine Gerichtsreform nach sich zog, ist mehrfach in der Forschung angesprochen worden.[248] So schließt D. *Conrad* hinsichtlich der Gerichtsorganisation in der Zeit Joschijas „auf zunehmende Zentralisation auch auf diesem Gebiet".[249] Ebenso erwähnt *Chr. Levin* eine derartige Reform: „Die Aufhebung der regionalen Kultstätten erforderte die Einrichtung einer besonderen örtlichen Gerichtsbarkeit."[250] Die detailliertesten Untersuchungen zum Zusammenhang von Kult- und Rechtsreform unter Joschija stammen von *F. Horst* und *M. Weinfeld*.

F. Horst nahm unter Berufung auf Ex 22,8 und 1 Sam 2,25 im Vergleich zu Dtn 19,16–21 eine Rechtsprechung an den durch die Reform des Joschija entfernten lokalen Kultstätten an. Auf wen nach dieser Reform die Rechtsprechung übergehen sollte, regelte die Bestimmung Dtn 16,18–20 und 17,8–13.[251] Des weiteren präzisierte *Horst* dies dahingehend, daß „neben der Kultzentralisation auch eine administrative Vereinheitlichung geplant war".[252] „Kultzentralisation und administrative Organisation auf dem Gebiet des Rechtswesens [sind] als Forderungen eines bestimmten

---

[245] Vgl. *Groß*, Priestertum 379.

[246] Vgl. dazu Num 5,13f.

[247] Vgl. zu diesen und anderen Auswirkungen des Reinigungseides *Lang*, Verbot 103.

[248] Vgl. *Hempel*, Schichten 212; *Köhler*, Rechtsgemeinde 167f; *Junge*, Wiederaufbau 81 Anm. 3; *Sekine*, Beobachtungen passim; *Suzuki*, Ostracon 40f; ders., Administration passim.

[249] *Conrad*, art. *zāqen* 647.

[250] *Levin*, Bund 85.

[251] Vgl. *Horst*, Privilegrecht 129.

[252] Ebd. 131.

innenpolitischen Willens der Jerusalemer... Hauptstadt zu werten."[253] Die Bestellung von Berufsrichtern in Dtn 16,18 steht in einem militärischen Kontext, da es Städte sind, die als Wirkungsorte der Richter angegeben werden, und da ihnen Listenführer zur Seite gestellt werden.[254] Gleichzeitig drückt die Gerichtsreform ein Zurückdrängen der Ältestengerichtsbarkeit aus.[255]

M. Weinfeld geht ebenfalls davon aus, daß von Joschija aufgrund der Auflösung der Höhenheiligtümer für die von den Höhenpriestern ausgeübte Rechtsprechung ein Ersatz geschaffen werden mußte.[256] Somit war nach der Kultreform ein „judicial vacuum in the provincial cities"[257] entstanden, auf das die Vorschrift, in jeder Stadt Richter einzusetzen (Dtn 16,18), antwortete.[258] Damit liegt gleichzeitig eine Säkularisation der Gerichtsbarkeit vor, auf die neben *M. Weinfeld*[259] auch schon *M. Sekine*[260] aufmerksam gemacht hatte. Die Auswirkungen dieser Säkularisation zeigen sich im Asylwesen, da hier die alte Praxis der Zuflucht in einem Heiligtum[261] ersetzt wird durch das Asyl in Städten[262] sowie in der Ernennung staatlicher Beamter (Richter) für das Rechtswesen.[263] Kritisch zu analysieren wären allerdings die Ausmaße der Reform des Joschija, die geringer zu veranschlagen ist, als dies die Texte des DtrGW behaupten.[264] Ebenso stellt sich die Frage, wieweit sich die Auswirkungen

---

[253] Ebd.
[254] Vgl. ebd. 129–131.
[255] Vgl. ebd. 130.
[256] Vgl. *Weinfeld*, Deuteronomy 233–236.
[257] Ebd. 234.
[258] Vgl. ebd.
[259] Vgl. ebd. 233–236; *ders.*, Demythologization 233.
[260] Vgl. *Sekine*, Beobachtungen 362.
[261] Vgl. Ex 21,14; 1 Kön 2,28 u.ö.
[262] Vgl. Num 35; Dtn 19; Jos 20 und dazu *Noth*, Josua 124; *Weinfeld*, Deuteronomy 236f; *Soggin*, Joshua 198f.
[263] Vgl. *Weinfeld*, ebd. 236; *Sekine*, Beobachtungen 362 nennt die Richter „profane Beamte".
Widerspruch fand die Säkularisationsthese bei *Milgrom*, Demythologization, bes. 158–160, der allerdings den Unterschied zwischen den Priestern der Höhenheiligtümer und den Jerusalemer Priestern übersah und insofern *Weinfelds* Argumente nicht widerlegte. In Erwiderung hierauf präzisierte *Weinfeld*, Demythologization 233 den Aspekt der Säkularisation des Gerichtswesens: „The secular tendency in this respect is, in our opinion, expressed not by removing the priests from the judicial institutions but by disposing of sacral media in judgment."
[264] Vgl. dazu bes. *Spieckermann*, Juda 30–160 und die Textrekonstruktion des

der Zentralisationsmaßnahmen erstreckten, wobei allerdings zu bedenken ist, daß administrative Reformen über den Weg der Verordnung schneller vonstatten gehen können als Reformen im religiösen Bereich. Da es Texte gibt, die das Auftreten von Richtern in der spätvorexilischen Zeit bezeugen, ist es sinnvoll, das erstmalige Auftreten von Richtern in der Gerichtsorganisation Israels im Kontext der Reformmaßnahmen unter Joschija anzusiedeln. Bevor aber diese Textzeugnisse im einzelnen besprochen werden können, ist durch einen Blick auf die Militärgerichtsbarkeit der Kontext der Rechtsreform noch zu erweitern.

2.52 Militär und Gerichtsbarkeit

Daß der Heerbann seine eigene Gerichtsbarkeit hatte, die sich unter und im Königtum fortsetzte, zeigte sich bereits in der frühstaatlichen Zeit. Insbesondere in joschijanischer Zeit rückt die Militärgerichtsbarkeit in den Vordergrund, da neben der Schaffung neuer beamteter Richter die alte Militärgerichtsbarkeit weiter ausgebaut wird. Deshalb liegen auch seit dieser Zeit Belege für ein forensisches Handeln von *śārîm*, die als Offiziere zu verstehen sind, vor.

Als erstes außerbiblisches Zeugnis ist auf das Ostrakon von Meṣad Ḥašabjahu,[265] einer unter Joschija eingerichteten Festungsstadt,[266] einzugehen. Hierin wird im Kontext eines alltäglichen Rechtsfalles, in dem es um die Wiedergabe eines gepfändeten Kleidungsstückes geht,[267] der *śār*, der die Rechtsangelegenheit[268] seines Untergebenen hören soll, angesprochen. Der Titel *śār* bezeichnet den Kommandeur oder den Statthalter[269] der Garnisonsstadt Meṣad Ḥašabjahu, der vom König als dessen Statthalter für die Militär- und Zivilbevölkerung eingesetzt war. Der Text zeigt

---

Reformberichtes ebd. 425–429. Vgl. zur Arbeit von *Spieckermann* noch *Lohfink*, Diskussion 42–47.

[265] Vgl. die Editionen bei *Donner-Röllig*, KAI 200; ebd. 3,199–201; *Galling*, TGI Nr. 42; *Lemaire*, Inscriptions I, 259–268; *Suzuki*, Ostracon 4–30.

[266] Vgl. *Sekine*, Beobachtungen 362.

[267] Vgl. zur Pfändung *Lemaire*, Inscriptions I, 264; *Crüsemann*, Produktionsverhältnisse 78.

[268] Vgl. zur Übersetzung *Weinfeld*, Judge 69 Anm. 20; *Lemaire*, Inscriptions I, 260; gegen *Donner-Röllig*, KAI 3, 199; *Galling*, TGI Nr. 42 und *Suzuki*, Ostracon 5, die *dābār* mit „Wort" übersetzen, da hebr. *dābār* an einigen Stellen eine ‚Rechtsangelegenheit' bezeichnet (s.o. Anm. 160).

[269] Vgl. *Lemaire*, ebd. 260; *Donner-Röllig*, ebd., 199; *Weinfeld*, ebd. 69; *Rüterswörden*, Beamte 37f; *Suzuki*, ebd. 33–36.

die Jurisdiktionskompetenz eines Offiziers in der Zeit des Joschija.[270] Genau besehen, vereinigt der *śār* drei Amtsbefugnisse auf sich: die des Gouverneurs über die Fronarbeit, des Offiziers und des Richters.[271] Letzteres wird daraus ersichtlich, daß der Text als Petition zu bestimmen ist.[272] Auf dem Hintergrund alttestamentlicher Texte ist besonders auffällig, daß bei diesem Prozeß nicht an eine Ältestengerichtsbarkeit im Tor appelliert wird, sondern daß der Bittsteller aus seinem Wohnort Ḥaṣar Asam[273] an den Gouverneur des ca. 10 km entfernten Meṣad Ḥašabjahu appelliert. Hinzu tritt, daß der Text das Werk eines Schreibers ist, der wohl zum Gerichtshof von Meṣad Ḥašabjahu gehörte,[274] und die Zeilen 12–14 eine Appellation an eine höhere Stelle in Betracht ziehen, falls der Zuständigkeitsbereich des Gouverneurs überstiegen wird.[275]

Zur Erklärung der im Ostrakon von Meṣad Ḥašabjahu geschilderten Gerichtsstruktur kann an eine Verwaltungsgerichtsbarkeit gedacht werden, da der Gouverneur die Fronarbeiten für den König überwachte. Das Kleid des Bittstellers ist vielleicht deshalb gepfändet worden, da er seine Quote in der Fron nicht geleistet hatte. Es scheint von daher, daß der Beklagte dem Gouverneur von Meṣad Ḥašabjahu dienstlich untergeordnet war, weshalb auch der Bittsteller dorthin ging, wo der Dienstvorgesetzte des Beschuldigten saß.[276]

Somit schließt sich das Ostrakon an die in Jes 1,23 geschilderten Verhältnisse an, wo schon im 8. Jh. von der forensischen Kompetenz der hier als Beamten zu verstehenden *śārîm* Jerusalems gesprochen wird, sowie an den in dieselbe Zeit wie das Ostrakon zu datierenden Text Jer 26,10–19, in dem Beamte Judas als Richter fungieren. Hinsichtlich der forensischen Kompetenz eines Garnisonsgouverneurs schließt sich das Ostrakon an

---

[270] Vgl. *Lemaire*, ebd. 262: „... c'est à la fonction judiciaire d'un śar qu'il est fait allusion dans cet ostracon", und vgl. ebd. 266. Am deutlichsten hat *Suzuki*, ebd. 38–41 die Rechtsprechungskompetenz des Gouverneurs herausgearbeitet.

[271] Vgl. *Suzuki*, ebd. 33.35f; *Weinfeld*, Judge 69; *Crüsemann*, Produktionsverhältnisse 76f.

[272] Vgl. *Suzuki*, ebd. 30.

[273] Vgl. die Zeilen 3–4 bei *Lemaire*, Inscriptions I, 260 und *Suzuki*, ebd. 4; gegen *Donner-Röllig*, KAI 200,3–4 und *Galling*, TGI Nr. 42.

[274] Vgl. *Suzuki*, ebd. 31–33 und zum Schreiber auch *Lemaire*, ebd. 266.

[275] Dies gilt nur, wenn man der Übersetzung von *Lemaire*, ebd. 261 folgt (vgl. ebd. 266 zur Auslegung). Die bei *Donner-Röllig*, KAI 200 gewählte Textaufteilung erlaubt hingegen nicht den Hinweis auf den Instanzenzug (vgl. zum Problem auch *Suzuki*, ebd. 20–24).

[276] Vgl. *Suzuki*, ebd. 38 und zur Stellung des Beklagten auch *Lemaire*, ebd. 267; *Crüsemann*, Produktionsverhältnisse 83–86.

Zeugnisse aus Assur, Elephantine sowie der ptolemäischen Periode an.[277]
Ein weiterer atl. Text, der sich zum besonderen Vergleich mit dem
Ostrakon von Meṣad Ḥašabjahu aufdrängt, ist mit Ex 18,13–26 gegeben,
da hier die Rede davon ist, daß *śārîm* eingesetzt werden sollen, um die
Rechtsprechung zu übernehmen. Die Zurückführung dieser Maßnahme
auf Mose hat legitimatorische Gründe, mit denen die Institution von
Offizieren als Richtern schon in der vorstaatlichen Zeit verankert werden
soll. Wie im Ostrakon von Meṣad Ḥašabjahu ist auch in Ex 18,13–26 der
Titel *śār* als ‚Offizier' zu verstehen, was hier aus der Nennung von
Hundert- und Tausendschaften hervorgeht. Was die Entstehung des
Textes angeht, so ist ebenfalls auf die Zeit des Joschija zu verweisen,[278]
worauf das Motiv der Übertragung gerichtlicher Vollmacht an Militärs
hinweist, die im Rahmen der mit der Kultusreform verbundenen administrativen Reformmaßnahmen anzusiedeln ist.
Ebenfalls forensische Funktionen der *śārîm*, die hier aber als königliche
Beamte zu verstehen sind, werden in dem schon erwähnten Text Jer 26
deutlich.[279] Diese nehmen Platz (V. 10), um die von den Priestern und
vom Volk gegen Jeremia vorgebrachten Beschuldigungen zu untersuchen,
und sie sind es auch, die das Urteil des Freispruchs fällen (V. 16).
Sekundär ist hierbei der Zug der Erzählung, demzufolge dieses Urteil von
einigen der Ältesten des Landes zustimmend an die Adresse der Volksversammlung erläutert wird (VV. 17–19). Vielleicht soll hiermit noch auf die
judikative Funktion der Ältesten, die allerdings in Jersualem wohl nicht
mehr bestand, hingewiesen werden.[280]
In Jer 37,13–16 wird der Prophet vor die Beamten gebracht, die ihn ohne
Prozeß ins Gefängnis werfen lassen und somit auch als eine Art Gerichts-

---

[277] Vgl. dazu *Weinfeld*, Judge 71–73 mit Einzelbelegen.

[278] Vgl. zur Literarkritik und zeitlichen Ansetzung *Niehr*, Herrschen 107–109.144.
Die exegetische Problematik von Ex 18,13–26 kann hier nicht besprochen
werden. Die legitimatorische Tendenz des Textes ist in der Forschung unbestrit-
ten, fraglich ist nur, worauf sich die Einsetzung von Richtern durch Mose
bezieht. Einige Forscher denken an die Zeit unter David und Salomo (vgl.
Reviv, Traditions 568–570; *Schäfer-Lichtenberger*, Ex 18, S. 81–83), andere an
die Zeit des Joschafat (vgl. *Albright*, Reform passim; *Knierim*, Exodus 18, bes.
162–166.170f; *Macholz*, Geschichte 318–333) oder die des Joschija (vgl. *Junge*,
Wiederaufbau 56–58; *Sekine*, Beobachtungen 361f).

[279] Es geht in Jer 26 um eine fingierte Begebenheit, in der berichtet wird, wie
menschliche Instanzen über die Echtheit eines Propheten richten, wozu auch
Dtn 18,20 zu vergleichen ist (vgl. *Hossfeld-Mayer*, Prophet 42–45). *Schreiner*,
Jeremia 155 bezeichnet den Text als theologische Lehrerzählung.

[280] Vgl. *Hossfeld-Mayer*, ebd. 39f.

instanz vorgehen. Dies wird auch in Jer 38,1–6 noch einmal deutlich, wo eine Kommentierung der Beschuldigung des Überlaufens (37,13) vorliegt.[281] In beiden Jeremiatexten zeigt sich, was *J. L. McKenzie* bei seiner Untersuchung des Ältestenamtes im AT schon festgestellt hatte: „... that in this later phase of the history of Judah the *śārîm*, the royal officers, had taken over the judicial functions of the elders."[282] Nach Durchsicht der Texte KAI 200, Ex 18, Jer 26 und 37, die alle in der Zeit des Joschija anzusetzen sind, fällt auf, daß vor der Reform des Joschija nur in Jes 1,23 im Kontext der Verwaltungsgerichtsbarkeit von einer Gerichtsbarkeit der *śārîm* die Rede ist. Das heißt, daß Joschija die rechtlichen Kompetenzen seiner Beamten und Offiziere weiter ausgedehnt hat, was insofern notwendig war, als die Rechtsprechung an den Höhenheiligtümern einen Ersatz finden mußte. Dies wird durch die Einsetzung von eigens für die Rechtsprechung zuständigen Beamten unter Joschija noch deutlicher. Bieten Jes 1,23 und Jer 26; 37 nur Belege für eine Gerichtsbarkeit von Beamten in Jerusalem, so zeigen KAI 200 und Ex 18,13–26 die Ausdehnung der königlichen Gerichtsbarkeit auf den militärischen Bereich.[283] Die Wurzeln hierfür liegen zum einen in der Verwaltungsgerichtsbarkeit und zum andern in der Rechtsprechungskompetenz des Heerbannführers, die beim Wiederaufbau des Heerwesens unter Joschija[284] wieder zu einer gewissen Geltung kam.

2.53 Die juristische Auswirkung der Reform des Joschija: Der beamtete Richter

Es konnte bislang festgestellt werden, daß es im Israel der Königszeit weder im Süd- noch im Nordreich Richter gab. Wohl war die Rede davon, daß ein bestimmter Personenkreis (pater familias, Älteste, Vollbürger, Heerbannführer, König, Beamte, Offiziere und Priester) Recht sprechen konnten, aber berufsmäßige Richter gab es nicht. Dies wird um so deutlicher, als die oftmals zum Nachweis der Existenz von Berufsrichtern in der frühen Königszeit herangezogenen Texte mit Belegen des Titels *šopeṭ* späteren Redaktionen entstammen und deshalb für die Frage

---

[281] Vgl. dazu *Schreiner,* Jeremia 213f.

[282] *McKenzie,* Elders 526.

[283] Eine allmähliche Ausdehnung der Gerichtsbefugnisse königlicher Beamter auch auf Gebiete außerhalb der Stadtstaaten Jerusalem und Samaria vermutet auch *Boecker,* Recht 36, der allerdings KAI 200 übersehen hat.

[284] Vgl. dazu grundlegend *Junge,* Wiederaufbau passim.

nach der Gerichtsordnung des 8. Jh. nichts aussagen.[285] Ebenso ist die in diesem Kontext herangezogene Rechtsreform des Joschafat nicht aussagekräftig für die Darstellung der Rechtsverhältnisse in der frühen Königszeit.[286]

Nun ist allerdings ein anderes Phänomen sehr auffällig. Wie schon gesehen, häufen sich in der Zeit des Joschija die Belege für eine Rechtsprechung durch Beamte und Offiziere. Daneben ist in dieser Zeit zum erstenmal in Israel von Richtern die Rede, was bedeutet, daß für die Rechtsprechung ein in der Umwelt Israels längst bekanntes Amt neu eingeführt wird.

Um den Inhaber dieses Amtes zu benennen, braucht es einen Titel. Hierzu greift man auf den seit der vorstaatlichen Zeit bekannten Ausdruck *šopeṭ* zurück, der in Israel und auch schon vorher außerhalb Israels in Mari, Assur und Babylon sowie in Ugarit einen Herrscher bzw. einen Gouverneur bezeichnet hatte.[287] In Israel trugen die Inhaber bestimmter Führungsämter in vorstaatlicher Zeit ebenfalls den Titel *šopeṭ*, ein Titel, der in der anschließenden Königszeit auffallend gemieden wurde, zumal er durch den Kontext des Abschalomaufstands innerhalb der Monarchie nicht mehr tragfähig war.[288] Daß Joschija im Rahmen seiner Reform auf diesen alten Titel der vorstaatlichen Zeit zurückgreift, kann als *captatio benevolentiae* dem ʿam hāʾāraeṣ gegenüber gewertet werden, da die zweimalige Verwendung des Titels in der Königszeit seine Affinität zum ʿam hāʾāraeṣ zeigt (2 Sam 15,4; 2 Kön 15,5).[289] Hinzu kommt, daß mit der Einsetzung von Richtern durch den Staat die Gerichtsbarkeit der Ältesten, d. h. der Vertreter des ʿam hāʾāraeṣ beschnitten wurde, was die Ämtergesetze des Deuteronomium deutlich zeigen. Des weiteren ist in den Ämtergesetzen des Deuteronomium dieses Entgegenkommen dem Volk gegenüber daran zu erkennen, daß nicht der König, der ohnehin im Verfassungsentwurf Dtn 16,18 – 18,22 nur eine bescheidene Rolle spielt, die Richter ernennen soll, sondern das Volk, welches in Dtn 16,18 angeredet ist.[290] Die Ernennung von Richtern steht im Zusammenhang

---

[285] Es handelt sich um die Texte Jes 1,26; 3,2; Mi 7,3. Vgl. die Diskussion der Texte bei *Niehr*, Herrschen 162f.

[286] Vgl. dazu Exkurs 1.

[287] Vgl. dazu *Niehr*, Herrschen 25–78.127–137.

[288] Vgl. ebd. 131–136.138–140.

[289] Vgl. auch *Sekine*, Beobachtungen 363: „In dem neuorganisierten Staat Josias spielten die Richter m. E. die Vermittlerrolle zwischem dem König und dem Volk."

[290] Zur Beziehung Joschijas zum ʿam hāʾāraeṣ vgl. *Crüsemann*, Gesetze 21f; *Niehr*, Herrschen 138f. 145f.

mit der Ausdehnung der königlichen Gerichtsbarkeit auf Gebiete außerhalb der Hauptstadt, wie sie im Rahmen der Zentralisationsmaßnahmen unter Joschija erfolgte. In der Hauptstadt gab es seit der frühen Königszeit eine Verwaltungsgerichtsbarkeit (2 Sam 15,1–6), die auch an Beamte delegiert werden konnte, wie es Texte aus dem 8. Jh. belegen (Jes 1,23; 10,1f) und wie es bis zum Ende des Königtums in Juda der Fall war, worauf Jer 26 und 37 hinweisen. In den Festungsstädten amtierten königliche Offiziere als Richter (KAI 200; vgl. Ex 18,13–26). Der *šopeṭ* als eigentlicher Richter tritt jetzt diesen genannten Beamten und Offizieren zur Seite, und er soll darüber hinaus in allen Städten eingesetzt werden (Dtn 16,18).

Geht man ein auf die Einzelbestimmungen und Texte bezüglich der Richter, so fällt auf, daß es sich bei diesen Texten in der Mehrzahl um Gesetzes- oder Verfassungstexte handelt, die davon ausgehen, daß die Richter noch einzusetzen sind. Anhand weiterer Texte wird deutlich, daß es Richter gegeben haben muß und sie nicht nur eine Forderung aufgrund der Reformmaßnahmen des Joschija waren.

Der erste Text aus der Zeit des Joschija liegt vor in Zef 3,3, wo im Gericht über Jerusalem die Beamten *(śārîm)* und Richter *(šopᵉṭîm)* der Stadt mit Raubtieren verglichen werden. Zum erstenmal steht hier der Richter in Parallele zum Beamten, womit zum Ausdruck kommt, daß beide Amtsinhaber zur königlichen Verwaltung gehören,[291] so wie im folgenden V. 4 Prophet und Priester in Parallele gesetzt sind, da sie ebenfalls auf den ihnen gemeinsamen Bereich der Religion verweisen. Über Tätigkeit und Funktion der Richter sagt der Zefanjatext nichts aus. Wichtig ist er als Beleg dafür, daß als *šopeṭ* bezeichnete Richter im Jerusalem der spätvorexilischen Zeit zusammen mit Beamten amtieren.

Gleichfalls auf die Zeit des Joschija geht ein weiterer Beleg für den Richtertitel aus dem Verfassungsentwurf Dtn 16,18 – 18,22 zurück, ein Text, der in seinem Grundbestand auf Joschija zurückgeführt wird.[292] Zu diesem Grundbestand gehört auch Dtn 16,18* mit der Forderung, Richter und Listenführer in allen Städten einzusetzen, damit sie dem Volk Recht

---

[291] Vgl. zum Titel *śār* in Zef 3,3 *Seybold*, Prophetie 112 „Minister"; *Scharbert*, Zefanja 242 „Fürst". Beide Übersetzungen sind wenig adäquat. Zur Übersetzung von *šopeṭ* an dieser Stelle vgl. *Seybold*, ebd. und *Scharbert*, ebd., die beide zu Recht „Richter" übersetzen.

[292] Vgl. *Levin*, Bund 85; *Lemaire*, Vengeance 28 schreibt zu Dtn 16,18; 17,8–10: „Cette organisation de la justice… semble avoir été celle fonctionnant sous le roi Josias…" Vgl. zuletzt *Rüterswörden*, Gemeinschaft 89f.

sprechen. Auffällig ist bei dieser Bestimmung, daß die Stadt als Amtsbereich der Richter mit dem Begriff ‚Tor‘ gekennzeichnet ist, d. h. mit dem Terminus, der den Funktionsbereich der althergebrachten Ältestengerichtsbarkeit bezeichnet.[293] Dies kann als Indiz dafür genommen werden, daß die neu einzusetzenden Richter an die Stelle der Ältestengerichtsbarkeit treten sollen. Andererseits ist nicht zu übersehen, daß es das Volk ist, welches die Richter einsetzen soll, und nicht der Staat, was in der Forschung teilweise zu der Vermutung führte, daß das in Dtn 16,18 geforderte Richteramt von Ältesten wahrgenommen werden kann, die nun nicht mehr qua Älteste in der Rechtspflege amtieren, sondern aufgrund ihrer Ernennung durch das Volk.[294] Daß aber die herkömmliche Ältestengerichtsbarkeit durch die Einsetzung von Richtern eingeschränkt werden sollte, zeigt sich anhand der weiteren Belegstellen zum Richteramt im Deuteronomium, die auch das Amt des Richters und seine Aufgaben verdeutlichen.

Der Text Dtn 25,1–3 fordert, daß im Falle eines Rechtsstreites zwischen Männern diese vor Gericht gehen sollen. Ob mit ‚Gericht‘ ein Ort oder eine Institution gemeint ist, wird nicht klar, wenn auch letzteres wahrscheinlicher ist. Auffällig ist in V. 2, daß das Subjekt zum Verb ‚richten‘ sowie zu den nachfolgenden Verben ‚gerechtsprechen‘ bzw. ‚schuldigsprechen‘ durch die unpersönliche Redeweise nicht deutlich wird. Dies spricht dafür, daß hier die Gerichtsbarkeit der Vollbürger genannt ist, die in ihrer Zusammensetzung bekannt und daher nicht eigens zu nennen ist. Falls nun der Schuldige zu einer Prügelstrafe verurteilt wurde, soll der Richter ihn sich niederlegen und nach der festgesetzten Strafe schlagen lassen. Der Richter hat demnach die Funktion, die Ausführung der Strafe zu überwachen. Daß er mit im urteilenden Gremium sitzt, wird nicht ausdrücklich gesagt, kann aber wohl angenommen werden.[295] Nach Dtn 25,1–3 liegt die Aufgabe des Richters allerdings vornehmlich in der Exekutive.

Der Text Dtn 21,1–9 liegt ebenfalls auf der in Dtn 16,18 und 25,1–3

---

[293] Die Nennung der Stadt als Amtsbezirk der Richter und der Listenführer verweist auf einen militärischen Hintergrund, da sich die Städte als Aushebungsbezirke verstehen lassen und die die Richter begleitenden Listenführer vielfach im militärischen Kontext auftreten (vgl. Dtn 20,5.8f; Jos 1,10; 3,2; 2 Chr 26,11); vgl. dazu *Horst,* Privilegrecht 130; *Cazelles,* Droit 104.

[294] Vgl. dazu *Wijngaards,* Deuteronomium 174; *Rüterswörden,* Gemeinschaft 12f.

[295] Vielleicht ist bei den Verben von V. 1 ein ursprüngliches Subjekt fortgefallen, weil in V. 2 der Richter genannt ist (vgl. *Seitz,* Studien 126).

erkennbaren Linie der Einführung eines Richters in die Ältestengerichtsbarkeit.[296] Wird auf freiem Feld ein Ermordeter gefunden und man weiß
nicht, wer ihn erschlagen hat, dann sollen die Ältesten und die Richter
herausgehen und ausmessen, welches die dem Fundort des Toten nächst-
gelegene Stadt ist. Es fällt auf, daß im weiteren Verlauf der Ereignisse nur
noch die Ältesten (VV. 3.4.6) und sekundär die Priester (V. 5) amtieren,
dem in V. 2 genannten Richter jedoch keine Rolle bei der Rechtsfindung
zukommt. Es hat den Anschein, daß der Richter als neutraler Dritter
zwischen die Ältestengerichtsbarkeit zweier Städte eingeführt wurde, um
Streitigkeiten bei der Ausmessung des Geländes zu vermeiden.[297] Eine
eigentlich richterliche Funktion des Richters läßt sich auch hier nicht
ausmachen.

Ähnlich verhält es sich auch in Dtn 19,16–21. Es geht hierin um die
fälschliche Anklage eines Zeugen, der einen anderen der Anstiftung zum
Aufruhr bezichtigt: Männer, die einen derartigen Streit haben, sollen vor
JHWH treten (V. 17a). Ist der Text soweit klar, so bietet V. 17b
Schwierigkeiten für die Deutung, da er V. 17a mit der Angabe weiterführt
„vor die Priester und die Richter, die in jenen Tagen da sind". Durch die
Nennung der Priester wird aus V. 17a die Wendung „vor JHWH"
aufgenommen und somit die Gerichtsinstanz der priesterlich verwalteten
Gerichtsbarkeit genannt. Die Nennung der Richter erweckt hingegen den
Eindruck eines Nachtrags, der sie gleichberechtigt neben die Priester als
Gerichtsinstanz stellen soll. Ebenso gehören in V. 18 die Richter zum
Nachtrag.[298] In diesem Nachtrag wird ihre Aufgabe bezeichnet als „genau
ermitteln", d. h. der Richter fungiert als eine Art Untersuchungsrichter,
was vielleicht auch beinhaltet, daß er das Urteil spricht.

Wie schon in Dtn 16,18; 21,1–9 und 25,1–3 ist auch für Dtn 19,16–21
festzustellen, daß ein Richter in eine ältere Form der Gerichtsbarkeit
(Ältestengerichtsbarkeit und priesterliche Gerichtsbarkeit) eindringt und
ihm hier eine entscheidende Aufgabe zukommt.[299] Diese Einfügung von

---

[296] Vgl. *Hempel*, Schichten 216; *Seitz*, Studien 116; gegen *Wijngaards*, Deuteronomium 174, der die Richter als Deutung für die Ältesten auffaßt.

[297] Vgl. *Weinfeld*, Deuteronomy 234.
Nach dem, was *Levin*, Bund 85 als Gesetzbuch des Joschija ansetzt, müßte auch
der Richter von Dtn 21,2 zum Original gehören, wogegen aber die genannten
literarkritischen Bedenken sprechen (vgl. auch *Rüterswörden*, Gemeinschaft
113 Anm. 7).

[298] Vgl. *Seitz*, Studien 114; *Preuß*, Deuteronomium 55.

[299] Vgl. zur Literarkritik *Hempel*, Schichten 221; *Seitz*, ebd. 113f; *Niehr*, Herrschen 141f.

Richtern in die älteren Formen der öffentlichen Gerichtsbarkeit deutet darauf hin, daß die Stellung dieser Richter im Rahmen der israelitischen Gerichtsbarkeit nicht selbstverständlich ist und sich deshalb die neue Amtskompetenz dieser Richter erst mühsam neben der Ältestengerichtsbarkeit und der priesterlichen Rechtspflege etablieren muß. Im Hinblick auf die Beamten scheint es für die Richter eine derartige Schwierigkeit nicht gegeben zu haben, da beide Institutionen dem König unterstanden, bzw. sich die Richter vielleicht aus den Beamten rekrutierten.

Überschaut man, in welchen Kontexten die Gesetzestexte von Richtern sprechen, so stellt man fest, daß dies nicht in den Bereichen der Familien- und Lokalgerichtsbarkeit der Fall ist. Vielmehr geht es in den Texten, die eine Amtstätigkeit von Richtern erwähnen, jeweils um den Aspekt der größeren Objektivität bzw. Unparteilichkeit:[300] vor Gericht bei der Strafzuteilung (Dtn 25,1–3) und der Ermittlung (Dtn 19,17f) sowie im Streit zwischen zwei Ortschaften (Dtn 21,1f). Ob in den Texten, die Älteste und Richter zusammen nennen, eine Kooperation beider angestrebt wird,[301] ist kaum zu klären. Abgesehen von der literarkritisch sekundären Einfügung der Richter, die eher für das Gegenteil spricht, treten Älteste und Richter nur in nachexilischen Texten zusammen auf,[302] d. h. in einer Zeit, in der die Ältesten ihre Macht schon verloren haben, so daß solchen Parallelen der Realitätsbezug mangelt. Gerade die Tatsache, daß Älteste und Beamte in der Zeit vor Joschija getrennte Jurisdiktionsbereiche hatten und beide gemeinsam zur Oberschicht gehörten,[303] wird seit der Reform unter Joschija durch die Ernennung staatlicher Richter unterlaufen, da diese laut Dtn 16,18 in allen Städten eingesetzt werden sollen, wo sie, wie die späteren Dtn-Stellen zeigen, in den Bereich der Ältestengerichtsbarkeit vordringen sollten. Dies zeigt, daß im Kontext seiner Zentralisationsmaßnahmen der König den Bereich der Rechtsprechung an sich ziehen will. Dies geschieht einerseits durch die Ernennung von Richtern, die die Ältestengerichtsbarkeit verdrängen sollen, und andererseits durch die Konzentration der priesterlichen Gerichtsbarkeit nach Jerusalem, worauf an dieser Stelle noch einzugehen ist.

Die Konzentration der priesterlichen Gerichtsbarkeit nach Jerusalem wird ersichtlich aus Dtn 17,8–13, einem nunmehr in verschiedenen Schichten vorliegenden Text, der ursprünglich an die Bestimmung über

---

[300] Vgl. *Weinfeld*, art. Elder 578.
[301] So *Weinfeld*, ebd.
[302] Vgl. Jes 3,2; Esra 10,26.
[303] S. o. die Belege in Anm. 231.

die Einsetzung von Richtern in den Städten (Dtn 16,18) anschloß.[304]
Zunächst setzt er den Fall voraus, daß ein Rechtsfall im Rahmen der
Gerichtsbarkeit zu schwierig zu entscheiden sei. Diese Gerichtsbarkeit
wird charakterisiert als „in deinen Toren", womit zwar ein in der Ältestengerichtsbarkeit beheimateter Terminus angesprochen wird, der allerdings nach Dtn 16,18 mittlerweile den Amtsbereich der Richter meint. Im
Falle der Nichtlösbarkeit eines Rechtsfalls soll der davon Betroffene sich
nach Jerusalem aufmachen. Der nun folgende V. 9 ist literarkritisch nicht
einheitlich, da hier der Richter sekundär eingefügt wurde, was auch für V.
12 gilt. Somit soll der Betroffene zu den Priestern gehen. In V. 9b wird
dann die forensische Interaktion beschrieben: Die Aktivität des um Recht
Suchenden wird mit dem Verb *dāraš* bezeichnet und die der Priester als
higgîd dᵉbar hammišpāṭ. Das Verb *dāraš* hat im forensischen Kontext die
Bedeutung des Nachforschens, sowohl im Sinne der Falluntersuchung wie
des juristischen Nachfragens,[305] was auch für Dtn 17,9 zutrifft. Da es sich
um einen mit normalen Mitteln nicht lösbaren Fall handelt und an die
priesterliche Gerichtsbarkeit appelliert wird, meint das mit *dāraš* bezeichnete juristische Nachfragen ,eine Gottesbefragung anstellen lassen'.[306] Die
darauf erfolgende priesterliche Tätigkeit besteht in der Verkündigung des
Rechtsentscheids. An diesen ist der Fragende gebunden (V. 10), und er
muß durch die Ortsgerichtsbarkeit vollstreckt werden.[307] Somit liegt beim
Jerusalemer Gericht kein Obergericht bzw. keine Appellationsinstanz
vor, sondern es werden vor ihm nur Fälle verhandelt, die mit den
normalen Mitteln der Gerichtsbarkeit nicht zu lösen sind.[308] Nach V. 8a
handelt es sich um Fälle von Mord und schwerer Körperverletzung.[309] Im
Kontext der Rechtsentwicklung betrachtet, ist mit Dtn 17,8–13 nur wenig
Neues dekretiert, da eine priesterliche Gerichtsbarkeit, die sich derartigen
Fällen widmete, schon in vorexilischer Zeit überall im Lande existierte.
Neu ist hingegen der Aspekt der Zentralisation der priesterlichen Ge-
richtsbarkeit am Ort des einzig legitimen Tempels in Jerusalem.
Insgesamt besehen, liegt mit der Rechtsreform unter Joschija ein Phäno-

---

[304] Vgl. dazu *Preuß*, Deuteronomium 121.
    Zum Kontext der Zentralisationsmaßnahmen vgl. *Horst*, Privilegrecht 129–136;
    Merendino, Gesetz 386.
[305] Vgl. zu *dāraš* in forensischer Sprache *Wagner*, art. *dāraš* 316–318.
[306] So die Übersetzung bei *Lohfink*, Sicherung 144.
[307] Vgl. *Wagner*, art. *dāraš* 317.
[308] Vgl. *Horst*, Privilegrecht 133; *Lohfink*, Sicherung 145.
[309] Das Sachenrecht ist nachgetragen (vgl. *Horst*, ebd.).

men vor, welches im Alten Orient nicht ohne Parallele dasteht, da schon Hammurapi durch die Einsetzung staatlicher Richter in die Bereiche der Ältestengerichtsbarkeit und der Tempelgerichtsbarkeit eindrang und diese somit seiner Macht unterwarf.

3. Die substaatliche Zeit

3.1 Einleitung

Zwischen der joschijanischen Zeit und der substaatlichen Zeit liegt die Epoche des Exils, die aufgrund der Quellenlage hinsichtlich näherer Angaben etwa über die Gerichtsorganisation der Exilierten und der Zurückgebliebenen nicht faßbar ist. Erst für die nachexilische Zeit wird für das Judentum wieder eine Gerichtsorganisation greifbar.

Dennoch ist zunächst auf das Exil im Hinblick auf die staatliche Verfassung Judas einzugehen,[310] da sonst die neuen Strukturen der nachexilischen Zeit nicht erklärbar sind. Kennzeichnend für die exilische Gesellschaft ist das Zusammenbrechen der bisherigen Herrschaftsstrukturen, wie sie sich in der Königszeit herausgebildet hatten, aufgrund der Deportation der Oberschicht. Damit nun die alte Führungsschicht im Exil nicht wieder an Einfluß gewinnt, geht mit der Entmachtung der Oberschicht eine Stärkung der alten Gentilverfassung einher, die wieder in ihre alten Rechte eintritt.[311] Eine Ältestenversammlung der exilierten Judäer läßt sich aus Jer 29,1; Ez 8,1; 14,1; 20,1f erschließen. Diesen Texten zufolge gibt es in Babylon ein Gremium der Ältesten Israels. Daß die in Babylon wohnenden Ausländer in ihren eigenen Kolonien wohnen und ihre eigene Verwaltung selbst in die Hand nehmen, läßt sich auch aus den neubabylonischen Quellen mehrfach ersehen.[312] Die Rolle der Ältesten Israels wird aus den alttestamentlichen Quellen nicht recht deutlich, so daß man auf Vermutungen hinsichtlich ihrer Tätigkeit angewiesen bleibt. Nach *G. Fohrer* haben sie „vor allem religiöse und soziale Funktionen besessen, in kleinerem Umfang auch juristische und politische".[313] In Analogie zu der

---

[310] Vgl. zu Juda in exilischer Zeit *Janssen*, Juda 45–56; *Ackroyd*, Exile 20–31; *ders.*, Israel 13–19; *Fohrer*, Geschichte Israels 187–195; *Donner*, Geschichte Israels 387–390.
[311] Vgl. *Horst*, Privilegrecht 131; *Fohrer*, Geschichte Israels 192.
[312] Vgl. *Dandamayev*, Elders 41.
[313] *Fohrer*, Geschichte Israels 192.

aus neubabylonischen Texten bekannten Kolonie der Ägypter in Babylon läßt sich annehmen, daß die Ältesten Rechtsfälle innerhalb der jüdischen Kolonie in Babylon beurteilten,[314] wobei nicht zu übersehen ist, daß es in den Kolonien der Exilierten babylonische Kommissare und die babylonische Gerichtsbarkeit gab.[315]

Für die Verwaltung der Achämenidenzeit (550–330 v. Chr.), in die die hier zu besprechende substaatliche Zeit fällt, ist bereits herausgearbeitet, wie eine Reihe von Verwaltungskompetenzen bei den Untertanen des persischen Reiches verblieb.[316] Näherhin bestehen in der substaatlichen Zeit Israels unter dem Achämenidenreich zwei Verwaltungssysteme, das der Zentralherrschaft und das der Lokalautonomie.[317] Die Maßnahmen der Lokalautonomie werden abgedeckt durch die sogenannte Reichsautorisation, was bedeutet, daß die persische Reichsverwaltung „lokale Normensetzung übernahm, sie dadurch garantierte und zugleich kontrollierte".[318] In der Rechtsprechungsorganisation der nachexilischen Zeit zeigt sich dies konkret für Israel in der Gerichtsbarkeit von Sippe und Gemeinde, worin sich der Aspekt der Lokalautonomie manifestiert, sowie in der Gerichtsbarkeit des Statthalters und der Richter, in der sich der Einfluß der Zentralverwaltung äußert.

3.2 Der Wandel der gentilen Gerichtsbarkeit

3.21 Schwindender Einfluß von Ältesten und pater familias

In der spätvorexilischen Zeit zeigte sich aufgrund der unter Joschija ergriffenen neuen administrativen Maßnahmen, daß die Gerichtsbarkeit weitgehend durch königliche Beamte und Offiziere und vor allem durch königliche Richter ausgeübt wurde. Dies führte zu einem Verdrängen der Ältesten aus dem Bereich der Gerichtsbarkeit, ein Prozeß, der sich vor allem an der Hinzufügung von Richtern in den Deuteronomiumtexten der exilischen Zeit zeigt, in denen von der Gerichtsbarkeit der Ältesten die Rede ist. Das Resultat dieses Vorgangs zeigt sich in der nachexilischen

---

[314] Vgl. *Dandamayev*, Elders 41; zu den Ältesten im Exil vgl. noch *Conrad*, art. *zāqen* 647.

[315] Vgl. *Fohrer*, Geschichte Israels 192.

[316] Vgl. dazu bes. *Weinberg*, Zentral- und Partikulargewalt; *Frei*, Lokalautonomie.

[317] Vgl. *Weinberg*, ebd. 29–42; *Frei*, ebd. 9f.

[318] *Frei*, ebd. 21.

Zeit, da hier eine Verwaltungsfunktion der Ältesten nur an wenigen Stellen belegt ist.

So treten sie innerhalb eines Gerichtsverfahrens nur noch in Rut 4,2 auf. Hier ist aber ihre Rolle nicht zu überschätzen, da die Rutnovelle in der vorstaatlichen Zeit Israels angesiedelt ist (Rut 1,1) und auch Rechtsbräuche dieser Zeit eigens genannt werden (Rut 4,7), die allerdings zum Zeitpunkt des Erzählens nicht mehr in Kraft waren. Insofern ist auch die Erwähnung der Ältesten beim Gerichtsverfahren, die durch die Rolle des Volkes beim Prozeß[319] schon eingeschränkt ist, als Indiz für eine Jurisdiktionskompetenz von Ältesten in nachexilischer Zeit nicht hoch zu veranschlagen,[320] eher wird mit der Nennung der Ältesten als Zeugen ein archaisierender Zug der Novelle vorliegen.

Eine Ausschaltung der Ältesten aus dem Bereich der Gerichtsbarkeit ersieht man indessen im Vergleich von älteren und jüngeren Texten über die Asylstädte.[321] Im Unterschied zu Dtn 19,11–13, wo die Jurisdiktion nur in den Händen der Ältesten liegt, haben in Jos 20,4–6 die Ältesten nur noch über die Aufnahme in die Asylstadt zu entscheiden, das Gericht aber liegt bei der Gemeinde. In Num 35,22–29 werden die Ältesten und ihre Jurisdiktionskompetenz dann schon nicht mehr erwähnt, hier liegt die gesamte Jurisdiktion in der Asylstadt bei der Gemeinde.

Des weiteren werden in frühnachexilischer Zeit die Ältesten im Kontext der Bauarbeiten am Zweiten Tempel als ein Leitungsgremium in Jerusalem erwähnt.[322] Dieses Jerusalemer Gremium der Ältesten ist den Ältestengremien anderer Städte vorgeordnet, wie es sich bei der Frage der Mischehen zeigt (Esra 10,8.14). Aus diesem Text läßt sich gleichzeitig ein weiterer Zug hinsichtlich der Stellung der Ältesten erkennen. Es sind nicht nur die Ältesten, die die Entscheidungen zu fällen haben, vielmehr amtiert mit ihnen ein Gremium der Familienoberhäupter, die den Großfamilien *(bāte ʾābôt)* entstammen. Ebenso stehen die Ältesten aus den Städten in Parallele zu den Richtern, wie dies seit der Zeit des Joschija angestrebt, aber kaum verwirklicht war. Die in der Ehescheidungsfrage

---

[319] Vgl. zu den forensischen Zügen in der Rutnovelle grundsätzlich *Nielsen,* Choix 209, die feststellt, daß eine rechtshistorische Erforschung des Buches ohne befriedigendes Ergebnis bleibt, da das Buch Rut kein juristisches Dokument ist.

[320] Zu vergleichen ist der Ackerkauf Jeremias in spätvorexilischer Zeit (Jer 32,1–15), bei dem nur Zeugen, aber keine Ältesten genannt werden.

[321] Vgl. zum Asyl bes. *Delekat,* Asylie 290–320 und zuletzt *Falk,* art. Asylrecht 318f.

[322] Vgl. Esra 5,5.9; 6,7f.14.

Ausführenden und mit Esra Agierenden sind dann nur noch die Sippenoberhäupter (V. 16).

Der somit erkennbare Bedeutungsverlust der Ältesten dokumentiert sich des weiteren daran, daß im Nehemiabuch die Ältesten nicht mehr erwähnt werden und hier die Familienoberhäupter vollends an ihre Stelle getreten sind.[323]

Von der Gerichtsbarkeit des pater familias, für die sich in vorexilischer Zeit einige Belege fanden, ist in nachexilischer Zeit nichts mehr geblieben. Deutlich wurde schon in der frühen Königszeit, wie der pater familias seine Jurisdiktionskompetenz an die Ältestengerichtsbarkeit abtrat. Der durch das Exil bedingte Wandel der Familie, die sich von Sippe und Stamm zur Kleinfamilie emanzipierte,[324] bewirkt mit dem Verlust der Großfamilie auch das Abtreten des pater familias. Hingegen wird der Vater der Kleinfamilie zusammen mit der Mutter vor allem in religiöser Hinsicht aufgewertet, da die Eltern nach dem Zusammenbrechen aller Institutionen aufgrund der Exilssituation die Rolle von Religionslehrern übernehmen.[325] Eine weitere Aufwertung erfährt der Vater der Kleinfamilie auf Kosten seiner Frau, deren Stellung im Vergleich zur vorexilischen Zeit an Einfluß und Selbständigkeit verloren hat. Dies zeigt sich daran, daß der Ehemann der nachexilischen Zeit der Frau gegenüber die Rolle eines Vormundes übernimmt:[326] So kann er das Eifersuchtsordal verlangen (Num 5,11–31) und ist berechtigt, alle Gelübde seiner Frau aufzuheben (Num 30,2–16).

3.22 Der Aufstieg der Sippengerichtsbarkeit

Nach Esra 10,16 wurde die Ältestengerichtsbarkeit schon überlagert durch ein Gremium der *ra'še'ābôt* (Häupter der Vaterhäuser), die im Rahmen der Ehescheidungsangelegenheit die einzelnen Fälle zu untersuchen und zu entscheiden hatten und somit den Ältesten ihren alten Rang in der Gerichtsorganisation streitig machten. Möglich war dies durch die geänderte soziale Lage der nachexilischen Zeit, in der der *bêt 'ābôt* (Vaterhaus) die grundlegende soziale Einheit ist. Durch den Priester Esra

---

[323] Vgl. *Conrad*, art. *zāqen* 647.
[324] Vgl. dazu die Überblicke bei *Kippenberg*, Religion 37; *Hossfeld*, Familie 226f.
[325] Vgl. dazu *Fohrer*, Familiengemeinschaft 167; *Fabry*, Kinderfrage passim; *Hossfeld*, Familie 224–226.
[326] Vgl. dazu *Gerstenberger*, Frau 61.

wurden die Häupter der Vaterhäuser in ihr richterliches Amt eingesetzt (Esra 10,16).

Der *bêt 'ābôt* der nachexilischen Zeit kann verstanden werden als ein Verband vieler Familien, „die miteinander durch Abstammung vom drei bis sechs Generationen früher lebenden Stammvater oder Verwandtschaft (reale oder fingierte) mit demselben verbunden waren".[327] Besitzrechtlich ist für die aus den *bāte 'ābôt* sich zusammensetzende Bürger-Tempel-Gemeinde wichtig, daß das Gros des Bodens gemeinsames Eigentum war, welches sich, nach Parzellen aufgeteilt, im Besitz einzelner Familien befand. Diese wirtschaftliche Grundlage des *bêt 'ābôt* bedingte seine Einheit und Stabilität. Aus diesem Grunde hatten die Häupter der Vaterhäuser so bedeutende Vollmachten, daß sie eine große Rolle im öffentlichen Leben und in dem der Kollektive spielten,[328] wie es schon bei der Regelung der Mischehenfrage deutlich wurde. Der *bêt 'ābôt* der nachexilischen Bürger-Tempel-Gemeinde steht in einem genetischen Zusammenhang mit der Sippe der vorexilischen Gesellschaft.[329] Hinsichtlich der Gerichtsorganisation des substaatlichen Israel zeigt sich deshalb auch, daß sowohl der Terminus ‚Sippe' wie auch der Terminus ‚Vaterhaus' eine Gerichtsinstanz bezeichnen kann. Dafür, daß in der vor- und nachexilischen Zeit die Blutrache bei der Sippe liegt, gibt es eine Reihe alttestamentlicher Beispiele.[330]

Des weiteren fallen in die Jurisdiktionskompetenz der Sippe[331] die Lösepflicht, die Leviratsehe und die Jobeljahrvorschrift. So soll jeder Israelit, der sich an Fremde oder Halbbürger verkauft hat, durch einen Sippenverwandten freigekauft werden (Lev 25,49). Ebenso soll im Jobeljahr jeder Beisasse zu seiner Sippe zurückkehren (Lev 25,10.41).

Die Institution der Leviratsehe ist von den genannten Rechtsinstitutionen wohl die älteste, da sie schon in sehr frühen Texten belegt ist (Gen 38,12–26), dann in vorexilischen (Dtn 25,5–10) und in nachexilischen Texten (Rut 2,20; 3,8 – 4,10) genannt wird. Dabei zeigt sich wie schon im Fall der Asylstädte ein Wandel in der Gerichtsinstanz: Ist in Gen 38 der pater familias genannt, so in Dtn 25 die Ältesten und in Rut 4,9.11 das Volk und die Ältesten.

Ein weiterer Beleg für die Übertragung juristischer Vollmacht an die

---

[327] *Weinberg, bēit-'ābōt* 407.
[328] Vgl. ebd. 409.
[329] Vgl. ausführlich ebd. 413.
[330] Vgl. dazu *Kippenberg*, Religion 27.
[331] Vgl. zur Rechtsbedeutung der Sippe *Zobel*, art. *mišpāḥāh* 90f.

Sippenvertreter liegt in 2 Chr 19,8 vor, da das Jerusalemer Obergericht besetzt werden soll mit Leviten, Priestern und den Häuptern der Vaterhäuser Israels,[332] die durch ihre Nennung an letzter Stelle den Leviten und Priestern untergeordnet werden. Ist der Text auch eine Fiktion, so spiegelt er doch die gesellschaftlichen Verhältnisse der nachexilischen Zeit und legt Zeugnis davon ab, daß die Laiengerichtsbarkeit der Vollbürger nicht mehr bei den Ältesten lag.

3.3 Die Gerichtsbarkeit der Gemeinde

Aus der hebräischen Gemeindeterminologie treten hier die Termini *qāhāl* und *ʿedāh* in den Horizont der Gerichtsorganisation. Seit der exilischen Zeit finden sich beide Termini im Sinne der Rechtsgemeinde belegt, worin sich das Ergebnis einer semantischen Entwicklung beider Gemeindetermini widerspiegelt,[333] die zusammenhängt mit dem Aufkommen der Sippengerichtsbarkeit in nachexilischer Zeit. Denn die Vaterhäuser sind die Träger der Judikative in Ablösung der Ältestengerichtsbarkeit, und die Gesamtheit der Vaterhäuser bildet die *ʿedāh*.[334] Gerade über das Vaterhaus, welches die alten Formen der gentilen Gerichtsbarkeit (Gerichtsbarkeit des pater familias und der Ältesten) ablöst und die neue Sippengerichtsbarkeit aufwertet, wird also die Gemeinde als Gerichtsorgan erst konstituiert; es gibt keine Anknüpfung an eine ältere Volksgerichtsbarkeit, da eine solche weder in der Königszeit noch vorher in Israel existierte.

Im außerbiblischen Raum war es hingegen wohl belegt, daß einer Volksversammlung auch judikative Kompetenz zukam. So war in Mesopotamien der *puḫrum* eine Versammlung der Vollbürger, deren Judikative im Laufe der Zeit durch die Einsetzung königlicher Richter beschränkt wurde.[335] In der vorstaatlichen Zeit Israels gab es keine vergleichbare

---

[332] ‚Israel' bedeutet hier ‚Laien' (vgl. *Rudolph*, Chronikbücher 257).

[333] Zur semantischen Wandlung von *qāhāl* vgl. *Müller*, art. *qāhāl* 611–618; *Fabry*, Studien 196f; zur semantischen Wandlung von *ʿedāh* vgl. *Rost*, Vorstufen 32–87; *Sauer*, art. *jʿd* 745; *Fabry*, ebd. 203.
Gegen *Müller*, art. *qāhāl* 612 ist hervorzuheben, daß qāhāl erst seit der spätvorexilischen Zeit die Bedeutung ‚Gerichtsgemeinde' hat.

[334] Vgl. zum Zusammenhang von Vaterhaus und *ʿedāh Rost*, ebd. 84f; *Weinberg*, *bēit-ʾābōt* 412–414.

[335] Vgl. oben II, 1.21 und 1.22.

Versammlung, während sie aber in Syrien-Kanaan existierte.[336] Ansätze dazu sind vielleicht in der Institution der ‚Männer der Stadt' zu sehen, die an einigen Stellen in forensischer Funktion auftraten.[337] Da es in der Königszeit für die Etablierung einer Volksversammlung zu spät war, konnte sich erst in der substaatlichen Zeit, als der Einfluß von Staat und Ältesten nicht mehr gegeben war, bzw. sie aufgrund der geänderten sozialen Situation an Einfluß verloren, eine Gemeinde entwickeln, der auch judikative Aufgaben zukamen. Wie schon oben am Beispiel der Gesetze über die Asylstädte gesehen, traten die Ältesten ihre Jurisdiktionskompetenz an die Gemeinden ab. Ein erstes Indiz hierfür zeigt sich in Jer 26,17–19, dem Nachtrag zur Lehrerzählung über den Prozeß des Propheten. Wird dieser von königlichen Beamten entschieden, so stehen sich im Nachtrag VV. 17–19 die Ältesten und die Volksversammlung gegenüber, „die hier zur Gerichtsgemeinde wird und über die Anklage zu entscheiden hat",[338] wozu es in diesem Text allerdings nicht kommt. Deutlicher wird die gemeindliche Jurisdiktionskompetenz in Num 35,24, wo der Gemeinde aufgetragen wird: „... die Gemeinde soll zwischen dem, der getötet hat, und dem Bluträcher nach diesen Grundsätzen ein Urteil fällen", und in Jos 20,6, wonach der Totschläger in der Asylstadt bleiben soll, „bis er vor die Gemeinde zur Gerichtsverhandlung treten kann".[339] Da es sich in Jos 20,4–6 um einen Einschub handelt, der in LXX noch fehlt,[340] ist die Bestimmung des Textes als spätnachexilisch aufzufassen, was auch für den vorher zitierten Text Num 35,24 gilt, da er Jos 20,4–6 voraussetzt.[341] Des weiteren doppelt sich Jos 20,6 mit der Bestimmung über das Bleiben bis zum Tode des Hohenpriesters.[342] Eine tatsächlich ausgeübte Praxis stand wohl nicht dahinter,[343] dennoch ist ein derartiger Text nur sinnvoll, wenn die Möglichkeit einer gemeindlichen Gerichtsbarkeit wenigstens grundsätzlich bestand.

Auf den Hintergrund der Gemeindegerichtsbarkeit verweist auch Ps 1,5:

---

[336] Vgl. oben II, 2.1.

[337] Vgl. oben III, 1.21.

[338] *Schreiner,* Jeremia 157.

[339] Vgl. zur Übersetzung auch *Noth,* Josua 122; gegen *Soggin,* Joshua 196, der übersetzt „before the assembly of judgement".

[340] Vgl. *Soggin,* Joshua 197.

[341] Vgl. *Noth,* Josua 127.

[342] Vgl. *Noth,* ebd. 125; *Soggin,* Joshua 199.

[343] Vgl. *Noth,* ebd. 127.

Es werden nicht Bestand haben die Frevler im Gericht
und die Sünder in der Gemeinde der Gerechten.

Der Terminus ᶜedāh im zweiten Teil des Verses meint die zum Gericht
versammelte Gemeinde, deren Gerichtskompetenz sich primär auf sakral-
rechtliche Angelegenheiten bezieht, denen aber in Ps 1 keine Relevanz
mehr zukommt.[344] Des weiteren läßt sich die ᶜedāh über Rechtsfragen
instruieren,[345] und sie ist es auch, die den Erbfall der Töchter des Zelofhad
klärt (Num 27,1–11),[346] so wie sie auch die Streitfrage zwischen Rubeni-
ten und Gaditen im Ostjordanland entscheidet (Num 32).[347] Ebenso ist es
in den priesterlich bearbeiteten Stellen des Richterbuches die Volksge-
meinde, die als Rechtsgemeinde an der Kultstätte tagt.[348]
Neben bzw. in Parallele zur ᶜedāh wird in nachexilischer Zeit auch der
Terminus qāhāl zur Bezeichnung der Gerichtsgemeinde gewählt.[349] So
wird die Bosheit der Gehässigen in der Gemeinde bloßgestellt (Spr 26,26).
Da hier nur vom qāhāl gesprochen wird, kann damit auch die Öffentlich-
keit gemeint sein, während in Spr 5,14 durch qāhāl wᵉᶜedāh die Gemein-
deversammlung gemeint ist, in der der Sprecher beinahe ins Unglück
geraten wäre. Sehr deutlich werden qāhāl und ᶜedāh als Gerichtsgemeinde
in Sir 7,7:

Setz dich nicht ins Unrecht bei der Versammlung im Tor,
bring dich nicht selbst zu Fall vor der Gemeinde!

Hieran zeigt sich, daß die ᶜedāh, die im Tor tagt, an die Stelle der
Ältestengerichtsbarkeit gerückt ist. Vergleichbar hierzu ist die Nennung
des qāhāl mit seiner Jurisdiktionskompetenz über den Ehebruch im
nichtezechielischen Nachtrag Ez 23,36–49.[350]
Vom Volk als Gerichtsinstanz spricht Rut 4. Hierbei ist aufschlußreich,
wie im Fortlauf des Textes die Ältesten verdrängt werden. So werden in
V. 2 die Ältesten zusammengerufen, die in V. 4 als die Ältesten des Volkes

---

[344] Vgl. zum Gericht in Ps 1 *Kraus*, Psalmen 139f.
[345] Vgl. Lev 19; 24,10–23; Num 15,24–31 und dazu *Rost*, Vorstufen 82.
[346] Vgl. dazu *Rost*, ebd. 82; *Weingreen*, Case of the Daughters passim.
[347] Vgl. dazu *Rost*, ebd.
[348] Vgl. Ri 20,1; 21,10.13.16 und dazu *Rost*, ebd. 86.
[349] Vgl. *Müller*, art. *qāhāl* 612.
   Vgl. hierzu auch das Verb *qāhāl* N ‚sich versammeln‘, was in Jer 26,9 von der
   Gerichtsgemeinde ausgesagt wird, und *qāhal* H, welches in Ijob 11,10 das
   Einberufen des Gerichts meint.
[350] Vgl. *Zimmerli*, Ezechiel 536f.553.

bezeichnet werden. Während des Prozesses aber werden die Ältesten und das Volk zu Zeugen angerufen (V. 9), und im abschließenden Spruch werden zunächst das Volk (V. 11) und dann die Ältesten genannt. Es wurde bereits darauf hingewiesen, daß die Ältesten kaum eine Rolle in diesem Prozeß gespielt haben, da ihre Nennung eher einen archaisierenden Zug der Rutnovelle denn rechtliche Realität der nachexilischen Zeit darstellt.

Ihre Fortsetzung findet die Gerichtsbarkeit der Gemeinde in der späteren Synagogengerichtsbarkeit, deren Anfänge ebenso wie die Anfänge der Synagoge überhaupt im Dunkeln liegen.[351] Feststellbar ist jedenfalls, daß Synagogen auch als Gerichtshäuser dienten.[352]

Als erstes alttestamentliches Indiz hierfür ist auf Esra 10,14 zu verweisen, einen nicht völlig klaren Text über die Mischehenfrage.[353] Die Rede ist hierin von Ältesten und Richtern aus jeder Stadt, die über die Rechtmäßigkeit der Mischehen zu entscheiden haben. Analog zu Neh 8,1–12, wo frühsynagogale Gottesdienstformen in die Esra-Zeit zurückdatiert und somit legitimiert werden, kann auch Esra 10 „die frühsynagogale Gerichtsbarkeit in Ehescheidungsangelegenheiten voraussetzen und diese Institution sowohl ätiologisch begründen als auch mit weiterreichenden Befugnissen und Pflichten ausstatten wollen".[354] Des weiteren läßt sich aus der deuterokanonischen Literatur als Indiz für die Rolle der Ältesten in der Synagogengerichtsbarkeit auf die Susanna-Erzählung verweisen (Dan 13,5.34 LXX), in der die Rede von Ältesten ist, die gleichzeitig auch Richter sind (πρεσβύτεροι οἱ καὶ κριταί). Die nachexilische Synagoge griff auf den Ältestenstand zurück und ernannte aus ihm ihre Richter.[355]

3.4 Die Stellung der Richter und des Statthalters

In der Einleitung zu diesem Kapitel wurde auf eine Besonderheit in der Verwaltung des Achämenidenreichs hingewiesen, da in ihm zwischen Lokalautonomie und Zentralgewalt zu unterscheiden ist. Stellten die soeben besprochenen Formen der gentilen und der Gemeindegerichtsbarkeit die lokalautonome Seite in der Rechtsprechung der substaatlichen

---

[351] Vgl. dazu *Levine*, Synagogues passim.
[352] Vgl. ebd. 3; *Hruby*, Synagoge 32.
[353] Vgl. dazu *Gunneweg*, Esra 180.
[354] Ebd. 183.
[355] Vgl. *Engel*, Susanna-Erzählung 88.

Zeit dar, so ist jetzt mit der Frage nach der Stellung der Richter und des Statthalters in der Rechtsprechung auf den Aspekt der Zentralgewalt einzugehen.

Die Zentralgewalt des persischen Staates zeigt sich in Esra 7 in der Person des Esra, der den amtlichen persischen Titel *soper* trägt,[356] sowie in der Gestalt des Nehemia, der als Gouverneur fungiert (Neh 5). Nach Esra 7,25 soll Esra eine Untersuchung durchführen und Rechtskundige und Richter[357] einsetzen, die dem ganzen jüdischen Volk jenseits des Stromes Recht sprechen sollen. V. 26 zählt die Strafen für diejenigen auf, die das Gesetz Gottes und des Königs nicht befolgen, wobei es sich hier nicht um zwei Gesetze handelt, sondern es darum geht, daß das jüdische Gesetz innerhalb seines Geltungsbereichs als das Gesetz des Königs gilt.[358]

Über die Stellung der Richter in dieser Zeit sind wir aufgrund der Quellenlage nicht weiter informiert. Ein kleines Indiz läßt sich aus Mi 7,3 beibringen, einem Text, der als Zeugnis für die soziale Lage der nachexilischen Zeit gewertet werden kann.[359] Es findet sich in diesem sprachlich nicht einfachen Text[360] der seit Zefanja belegte Parallelismus von Beamten und Richtern. Diese fordern für ihre Dienste Bestechungsgelder. Im Vergleich mit dem vorexilischen Text Jes 1,23 zeigt sich, daß hier der Vorwurf der Bestechung nur an Beamte ergeht, während in spätvorexilischer (Zef 3,3) und nachexilischer Zeit (Mi 7,3), d. h. nach der Reform des Joschija auch die Richter mit unter diesen Vorwurf fallen.[361]

---

[356] Vgl. dazu *Rendtorff*, Esra 169.172f.

[357] Es handelt sich hierbei nicht um zwei Typen von Richtern (so *North*, Authority 385), vielmehr liegt ein explikatives Verständnis der Kopula vor (vgl. *Niehr*, Herrschen 62).

[358] Vgl. *Rendtorff*, Esra 169; *Gunneweg*, Interpretation 151 und grundsätzlich *Frei*, Lokalautonomie.

[359] Vgl. zur Einordnung *Niehr*, Herrschen 163f.

[360] Vgl. dazu ebd.

[361] Die Tendenz, das Amt des Richters gegenüber der priesterlichen Inanspruchnahme der Jurisdiktionsgewalt stärker zu betonen, liegt auch in Dtn 17,9.12 mit der sekundären Einfügung des Richters in das Jerusalemer Gericht vor (vgl. dazu auch *Horst*, Privilegrecht 134–136).

3.5 Der Übergang der Gerichtshoheit an die Priester

3.51 Das Anwachsen der Priesterherrschaft

Schon bei den Verfassungsentwürfen der exilischen Zeit fällt auf, welch wichtige Rolle in ihnen den Priestern zugeschrieben wird. Umgekehrt zeigt sich, daß die staatlichen Machthaber – König oder *nāśî'* – gerade zugunsten der Priester an Einfluß verlieren.[362]
Nicht unwichtig ist auch, daß zwei für das Weiterleben Israels in exilisch-nachexilischer Zeit wichtige Männer Priester waren, Ezechiel und Esra. Ebenfalls regierte neben dem Statthalter Serubbabel Josua als sadoki-discher Hoherpriester und nach der Abberufung des Davididen Serubbabel ging die Macht in Jerusalem auf seinen Rivalen, den Hohenpriester, über, dessen Macht um so mehr wuchs, als es keine Davididen mehr gab und nun der Hohepriester Stellvertreter JHWHs war.[363] Hinzu kam, daß die Verwaltung des achämenidischen Palästina in Samaria konzentriert wurde und Jerusalem zur geistigen Hauptstadt des gesamten Judentums aufrück-te, so daß nun die Priesterschaft das führende Element in der nachexili-schen Bürger-Tempel-Gemeinde darstellte.[364] Somit war der Hohepriester für die jüdische Gemeinde zu dem geworden, was vorher der König war. Erst mit der Ernennung Nehemias zum Gouverneur (445) wurde wieder eine Zivilverwaltung in Jerusalem errichtet, allerdings war der Zivilgou-verneur einer fremden Verwaltung untertan, so daß er die Stellung des Hohenpriesters nicht beeinträchtigte.[365]
Die Struktur der Jerusalemer Bürger-Tempel-Gemeinde wird aufgrund eines Bittbriefs aus Elephantine deutlich, da dieser sich wendet an den Statthalter Bagoas, den Hohenpriester Jehoḥanan, die Priester in Jerusa-lem und die Vornehmen der Juden. Somit standen neben dem persischen Statthalter ein priesterliches und ein aristokratisches Gremium mit jeweils einem Vorsteher.[366] Im 4. Jh. wird dem Hohenpriester sogar die Gouver-neursfunktion übergeben, so daß die „vorher abgesonderten Vollmachten und Funktionen der Partikular- und Zentralgewalten in Juda in der Person

---

[362] Vgl. Dtn 17,14–20; Ez 45,9–17; 46,16–18.
[363] Vgl. *Fohrer*, Geschichte Israels 204f.
[364] Vgl. *Cody*, History 176f. Zum Aufstieg des Hohenpriesters vgl. bes. *Weinberg*, Zentral- und Partikulargewalt 39–42.
[365] Vgl. *Cody*, ebd. 179f.
[366] Vgl. zum Text *Cowley*, Papyri 30,17–19; *Galling*, TGI Nr. 51 und dazu *Kippenberg*, Religion 69.

des Jerusalemischen Hohenpriesters vereinigt wurden".[367] Insofern der nachexilische Hohepriester eine dem Königtum vergleichbare Stellung innehatte, was sich auch an der Übernahme diverser königlicher Herrschaftssymbole zeigt,[368] trachtete der Hohepriester analog zum früheren Königtum auch danach, die Rechtsprechung in seine Hand zu bekommen. Dies war allerdings für ihn im Unterschied zu den Königen sehr viel einfacher, da in der nachexilischen Zeit keine Ältestengerichtsbarkeit mehr existierte, die ihre Ansprüche hätte geltend machen können. Deshalb konnte die priesterliche Gerichtsbarkeit das Todesrecht und Teile der familiären und örtlichen Rechtsprechung an sich ziehen, wie es besonders durch Lev 17 – 26[369] und die Gerichtsbarkeit am Heiligtum[370] veranschaulicht wird.

3.52 Das Eindringen der Priester in die weltliche Gerichtsbarkeit

Hinsichtlich der Stellung der Priester in der Gerichtsbarkeit der vorexilischen Zeit ließ sich ein Unterschied erkennen zwischen dem Bereich der Rechtsfindung, der mit normalen Mitteln nicht zu klären war, weshalb hier mit Eid, Los und Ordal gearbeitet wurde, und der von Priestern verwaltet wurde, und der weltlichen Rechtsprechung, die einen sehr viel größeren Einfluß auf Recht und Rechtsprechung hatte. Die Abschaffung der Höhenheiligtümer und der damit verbundenen Rechtsprechungsmöglichkeiten unter Joschija wurde durch die Etablierung eines Gerichtshofes am Jerusalemer Tempel kompensiert. Der für die Einrichtung dieses Gerichtshofes maßgebliche Text Dtn 17,8–13 bot in nachexilischer Zeit die Grundlage für das weitere Vordringen von Priestern in den Bereich der Gerichtsbarkeit. Vergleicht man die Texte Ez 22,26 und 44,23f, die beide über die Standespflichten der Priester, zwischen heilig und nicht heilig zu unterscheiden und über rein und unrein zu belehren, informieren, so fällt auf, daß nach Ez 44,23f die Verantwortung der Priester für das Rechtswesen neu hinzutritt. Es handelt sich bei diesem Text um einen Einschub in den Verfassungsentwurf des Ezechiel,[371] mit dem in nachexilischer Zeit

---

[367] *Weinberg*, Zentral- und Partikulargewalt 42.

[368] So an der Salbung (vgl. Ex 29,7; Lev 8,12), dem Ornat (vgl. Ex 28,1–43; 39, 1–31) und der Krone (vgl. Ex 28,36–38; 39,30f; Sach 6,11). Von einem Thron für den Hohenpriester ist an der schwierigen Stelle Sach 6,13 die Rede (vgl. zu den Positionen der Ausleger *Fabry*, art. *kisse'* 265f).

[369] Vgl. *Albertz*, Täter 152.

[370] Vgl. *Rost*, Gerichtshoheit 230f.

[371] Vgl. dazu *Zimmerli*, Ezechiel 1135.

die Stellung der Priester im Rechtswesen legitimiert werden sollte. Im Prozeß kommen den Priestern nach diesem Einschub der Vorsitz über das Verfahren sowie die richterliche Entscheidung zu. Um welche Art von Prozessen es sich hierbei handelt, sagt der Text nicht, so daß man nicht an bestimmte Formen von priesterlicher Gerichtsbarkeit denken sollte, eher ist intendiert, das gesamte Rechtswesen den Priestern zu unterstellen. Im Unterschied zu den Priestern übt im ezechielischen Verfassungsentwurf der *nāśî* nicht die Judikative aus; im Vergleich zum König der vorexilischen Zeit ist er um dieses Recht ärmer.[372] Das Aufrichten von Recht und Gerechtigkeit durch den *nāśî* bezieht sich auf den Hintergrund der Königsideologie (Ez 45,9), und konkretisiert sich nicht in der Judikative, sondern in der Sorge um rechtes Maß und Gewicht sowie um die rechte Darbringung der Opfer.[373] Es ist aber auch der Priester nicht einfach an die Stelle des Königs getreten, vielmehr liegt dem ezechielischen Verfassungsentwurf eine Theorie der Gewaltenteilung zugrunde.[374] Vergleichbar mit diesem Einschub in den Verfassungsentwurf Ez 44,23f ist Dtn 21,5, ein Text, der ebenfalls in den Zusammenhang der VV. 1–9, die die Ältestengerichtsbarkeit beschreiben, eingeschoben wurde[375] und den levitischen Priestern im Gerichtsverfahren eine Stellung wie Ez 44,23f einräumt. In Dtn 21,5b wird die Jurisdiktionskompetenz der Priester folgendermaßen umschrieben:

Nach ihrem Spruch soll jeder Rechtsstreit
und jede Körperverletzung (entschieden) werden.

Zu beachten ist hierbei, daß es sich nicht nur um die Gerichtsbarkeit in Jerusalem handelt,[376] sondern grundsätzlich um die Gerichtsbarkeit in allen Städten. Wie Ez 44,23f ist der Text bezeichnend für den Einbruch der Priester in den Bereich der Ältestengerichtsbarkeit, die es in nachexilischer Zeit nicht mehr gab. Beide Texte stehen unter dem Eindruck von

---

[372] Vgl. *Ebach*, Kritik 271.
[373] Vgl. ebd. 270f.
[374] Vgl. ebd. 272–274.
[375] Vgl. dazu *Preuß*, Deuteronomium 56, der den V. 5 für dtr hält; *Dion*, Deutéronome 16 Anm. 17; *Cody*, History 122f.
[376] Nach *Dion*, ebd. 22 hängt die späte Einfügung der Priester mit dem in Dtn 16,18 – 17,13 enthaltenen Verfassungsentwurf zusammen, insbesondere mit 17,8–13, so daß die Priester zum „tribunal du sanctuaire central" gehören.

Dtn 17,8–13, dem Text des Verfassungsentwurfes aus vorexilischer Zeit, der die Gerichtsbarkeit der Priester in Jerusalem verankerte.[377]

Die sich in beiden Texten – Ez 44,23f; Dtn 21,5 – zeigende Usurpation der Jurisdiktion durch die Priester gibt sich auch im Asylrecht der nachexilischen Zeit zu erkennen. Dies fällt schon daran auf, daß die Rechtsgemeinde, vor die der Asylant treten soll, in Num 35,24.25 und Jos 20,6 als ʿedāh bezeichnet wird, worin sich eine priesterliche Konnotation findet. Diese wird bestätigt durch die Erwähnung des Hohenpriesters (Num 35,25.32; Jos 20,6), dessen Tod eine Sühnewirkung hat, so daß die Blutschuld vergeben wird und der Asylsuchende, ohne der Blutrache zu verfallen, heimkehren kann.[378]

Am ausführlichsten wird im Alten Testament die Mitwirkung des Priesters bei der Rechtsfindung im sogenannten Eifersuchtsordal (Num 5,11–31) dargestellt. Der Priester fungiert bei diesem Verfahren nicht im eigentlichen Sinne als Richter, es ist vielmehr seine Aufgabe, dem Recht zum Durchbruch zu verhelfen. Die beschuldigte Frau richtet sich selbst.[379]

3.53 Die Beherrschung der weltlichen Gerichtsbarkeit: Der Hohepriester

Die Einschübe in Ez 44,23f und Dtn 21,5 zeigten einen Anspruch seitens der Priester auf volle Übernahme der Jurisdiktionskompetenz. Dabei ist es vor allem der Hohepriester, dessen Anspruch hier geltend gemacht wird. Die Grundlage für diesen Anspruch ist mit zwei Texten gegeben, von denen der erste in die Zeit des Joschija zurückgeht und die Etablierung eines Gerichts unter priesterlicher Leitung in Jerusalem fordert (Dtn 17,8–13). Der zweite dieser Texte, der aufgrund seiner Besonderheiten in einem eigenen Exkurs zu behandeln ist,[380] schildert die Ausführung der in Dtn 16,18 und 17,8–13 geforderten Maßnahmen. Es handelt sich hierbei um den im Rahmen der Erforschung der Gerichtsorganisation Israels vieldiskutierten Text 2 Chr 19,4–11.

Der Text ist in das 3. Jh. v. Chr. einzuordnen. Dies ist für Palästina die Zeit der Ptolemäerherrschaft, unter der der Tempelstaat Jerusalem-Juda

---

[377] Vgl. Cody, History 123.

[378] Vgl. zu dieser Sühnewirkung Dommershausen, art. kohen 75; Falk, art. Asylrecht 319.

[379] Vgl. zum Ordal von Num 5 neben Press, Ordal und Lefèvre, art. Ordalie bes. McKane, Poison 476–478.

[380] S. u. Exkurs 1.

ein Gemeinwesen mit weitgehender Autonomie darstellt.[381] In diesem Gemeinwesen liegt die Herrschaft beim Hohenpriester, diese wird aber durch die Gerusia beschnitten,[382] die sich zusammensetzt aus Mitgliedern der Priesterschaft, des Landadels, der Großgrundbesitzer und der Sippenhäupter. Dieser Gerusia steht gegenüber die Vertretung der toratreuen Theokratie, die sich vor allem aus der niederen Priesterschaft und den Leviten rekrutiert und deren Auffassung sich im Chronistischen Geschichtswerk manifestiert.[383]

Betrachtet man unter diesem Aspekt 2 Chr 19,4–11, so fällt auf, daß hierin die Familienoberhäupter erst nach den Priestern und Leviten genannt sind und daß der Vorsitz im Gericht in religiösen Fragen beim Hohenpriester und in den Fragen des Königs beim Statthalter liegt. Somit wird die Gerichtsbarkeit weitgehend dem Hohenpriester unterstellt. Auffällig ist auch, daß die Mitglieder der Gerichte vom König bestellt werden (VV. 5.8), vom Hohenpriester aber keine derartige Bestellung ausgesagt wird, er steht über den anderen Mitgliedern des Gerichts.

Des weiteren ist auf Sach 3,7 zu verweisen, wo dem Hohenpriester Jeschua, dem Mitregenten des Serubbabel kundgetan wird: Du wirst mein Haus richten *(dîn)*, wobei sich das Verb *dîn* nicht nur auf eine richterliche Tätigkeit bezieht, „sondern auch im weiteren Sinn die Leitung und Verwaltung am Tempel"[384] meint. Für die in den alttestamentlichen Texten nicht weiter dokumentierte Stellung des Hohenpriesters im Gerichtswesen läßt sich somit folgende Entwicklungslinie aufzeigen: Ausgehend von Dtn 17,8–13 aus der Zeit des Joschija konnten nach dem Sturz des Königtums im Exil die Priester Anspruch auf die Verwaltung der Gerichtsbarkeit erheben (Dtn 21,5; Ez 44,23f) und diesen Anspruch zusätzlich legitimieren durch den Bericht von der Einrichtung eines Obergerichts in Jerusalem (2 Chr 19,4–11).

3.54 Die Entmachtung des Hohenpriesters in der Gerichtsbarkeit: Das Synedrion und die Gerichtshöfe

Die ältesten Belege für die Existenz des Synedrion sind nicht leicht auszumachen. Aus den Führern der jüdischen Gesellschaft entwickelt sich

---

[381] Vgl. *Fohrer*, Geschichte Israels 219.
[382] S. u. 3.54.
[383] Vgl. *Hengel*, Judentum 96f.
[384] *Hamp*, art. *dîn* 203.

unter ptolemäischer Herrschaft die schon erwähnte Gerusia.[385] Als feste
Instanz begegnet sie unter Antiochus III. nach seiner Eroberung Jerusalems; ebenso scheint Jesus Sirach sie an zwei Stellen zu erwähnen.[386] Was
ihre Tätigkeit angeht, so ist hervorzuheben, daß sie die Macht des
Hohenpriesters beschneidet[387] und richterliche Funktionen ausübt.[388] Seit
der Zeit des Herodes wird sie als Synedrion bezeichnet.[389] Die von
J. Wellhausen vorgebrachte Annahme, daß 2 Chr 19,4–11 der älteste
Beleg für das Synedrion sei,[390] trifft nicht zu, da die Existenz des
Synedrions erst von der hasmonäischen Zeit an belegt ist, die in verfassungsrechtlicher Sicht geprägt ist durch die Einsetzung eines Ethnarchen,
der die Macht des Hohenpriesters auf den Tempel und den Tempeldienst
beschränkt.[391] Dies hat auch Auswirkungen auf die Gerichtsorganisation.
Unabhängig vom Hohenpriester und Ethnarchen werden Gerichtshöfe
(bêt dîn) eingerichtet, um religiöse Verletzungen zu untersuchen.[392] Einer
der Zweige dieser Gerichtshöfe ist der Große Gerichtshof, der aus 71
Mitgliedern besteht, deren Aufgabe es ist, die biblischen Gesetze zu
interpretieren und neu in Kraft zu setzen. Ebenso ist er die zuständige
Instanz für Kalenderfragen.[393] Als Gerichtshof fungiert er nur, wenn es
um Fälle hinsichtlich des *nāśî'* oder des Hohenpriesters geht oder wenn
eine Stadt oder ein Stamm sich des Abfalls schuldig gemacht hatten.
Des weiteren bezeichnet der Terminus *bêt dîn* einen Gerichtshof, der aus
23 Mitgliedern besteht und sich in jeder Stadt befindet. Dieser beschäftigt
sich mit religiösen Verletzungen (Sabbatübertretung, Blasphemie) sowie
Fällen von Mord und Unzucht. Ihm steht sogar die Kompetenz zu,
Todesstrafen zu verhängen.[394] Die Existenz dieser Gerichtshöfe wird

---

[385] Vgl. zum folgenden bes. *Hengel*, Judentum 48–51.

[386] Vgl. Sir 7,14; 33,19.

[387] Vgl. *Hengel*, Judentum 48; *Kippenberg*, Religion 82–86.

[388] Vgl. *Hengel*, ebd. 49.

[389] Vgl. ebd. 51.

[390] „Wahrscheinlich ist es die Justizorganisation seiner Gegenwart, die hier auf
Josaphat zurückgeführt wird, so daß wir hier wohl das älteste Zeugnis für das
Synedrion zu Jerusalem als oberste Instanz über den provincialen Synedrien,
sowie für dessen Zusammensetzung und Präsidium haben" (*Wellhausen*, Prolegomena 186; vgl. auch *Mosis*, Untersuchungen 177 Anm. 22).

[391] Vgl. *Zeitlin*, Rise 203.

[392] Vgl. *ders.*, Synedrion 120–122.

[393] Vgl. *ders.*, Rise 203.

[394] Vgl. ebd. 205.
Zu weiteren Gerichtshöfen, so dem politischen Synedrion für politische Vergehen, dem priesterlichen und hasmonäischen vgl. ebd. 265–267.

durch die frühe jüdisch-hellenistische Literatur bezeugt. Aus dem Alten Testament läßt sich nur ein Beleg hierfür beibringen. So wird in der Susanna-Erzählung davon berichtet, daß Daniel gegen das Todesurteil über Susanna Einspruch erhob und sie deshalb zum κριτήριον zurückgebracht wurde. Diesem κριτήριον entspricht das hebräische *bêt dîn*,[395] welches alttestamentlich nicht mehr belegt ist, aber später in der Qumranliteratur wieder begegnet.[396]

Zu den Vorstehern, dem *nāśî'* des Synedrion und dem *'āb bêt dîn* vgl. *Mantel*, Studies 1–53.102–129. Vgl. auch ebd. zu den Schwierigkeiten der divergierenden Angaben in den rabbinischen und griechischen Quellen.

[395] Vgl. *Zeitlin*, Synedrion 120.

[396] Vgl. dazu *Huppenbauer*, Gerichtshaus passim.

Exkurs 1
Fiktionale Erzählungen zum Thema Rechtsprechung (I):
Der König als Richter

Wie schon in den rechtshermeneutischen Vorbemerkungen festgestellt, sind nicht alle Texte, die von einem Richterhandeln z. B. des Königs sprechen, in gleicher Weise für die Geschichte der Rechtsprechung in Israel heranzuziehen.[1] Vielmehr ist das Moment der Fiktion zu berücksichtigen,[2] wobei in diesen Fiktionen nicht ein bestimmter Zug der Gerichtsorganisation als Thema im Vordergrund steht, sondern eine Aussage, etwa über die Weisheit des Königs, intendiert ist, bzw. eine Änderung in der Rechtspraxis durch eine Ätiologie legitimiert und in vergangener Zeit verankert werden soll. Dementsprechend muß bei fiktionalen Texten unterschieden werden, ob es sich um eine reine oder um eine historische Fiktion handelt.[3]

Reine Fiktionen. Unter diese Kategorie fallen zunächst die Texte 2 Sam 12,1–4; 14,5–11; 1 Kön 3,16–28 und 20,35–43. Allen vier Texten ist gemeinsam, daß der in ihnen angeschnittene forensische Kontext nicht um seiner selbst willen thematisiert wird. In 2 Sam 12,1–4; 14,5–11 und 1 Kön 20,35–43 geht es vielmehr um eine Selbstverurteilung des Königs, während in 1 Kön 3,16–28 die richterliche Weisheit des Königs hervorgehoben werden soll.

Der fingierte Rechtsfall der Witwe, die den einzig ihr verbliebenen Sohn der Blutrache der Verwandten ausliefern soll (2 Sam 14,5–11), paßt nicht in die israelitische Gerichtsbarkeit, er ist vielmehr konstruiert,[4] zum Zwecke der Selbstverurteilung des Königs (V. 13). Der Gesamttext 2 Sam 14,2–22 kann als weisheitlicher Einschub in die Abschalomerzählung betrachtet werden.[5] Darauf, daß der Rechtsfall weder in die israelitische Rechtsgeschichte noch in die israelitische Gerichtspraxis paßt, weisen schon die sehr divergierenden Erklärungsversuche hin, die den Fall als historisch auffassen. So wird er beurteilt als ein Fall von Normenkollision, der durch die Ältestengerichtsbarkeit so nicht hätte entschieden werden können, weshalb sich die Frau an den König wenden mußte.[6] Des

---

[1] Dies ist der grundlegende Fehler der Arbeiten von *Macholz*, Stellung; *ders.*, Geschichte und *Whitelam*, King.

[2] Vgl. dazu das in I, 2 Gesagte.

[3] Vgl. zu diesem Unterschied *Schäfer-Lichtenberger*, Ex 18, S. 77–79.

[4] Vgl. zu dieser Beurteilung *Würthwein*, Erzählung 46.

[5] Vgl. ebd.

[6] So *Macholz*, Stellung 166–168.

weiteren wird der Text als Beleg dafür herangezogen, daß der König die höchste Appellationsinstanz war.[7] Dagegen ist allerdings anzuführen, daß die für den Hintergrund der Erzählung postulierte Normenkollision nicht existierte, da es keine Pflicht zur Blutrache innerhalb der Sippe gab, zumal insbesondere im auch in der Königszeit noch nachwirkenden segmentären Recht Totschlag in der Familie nicht geahndet wurde, da der Mörder als der geschädigten Gruppe zugehörig betrachtet wurde.[8]

Die in 1 Kön 3,16–28 überlieferte fiktive Erzählung von der Auseinandersetzung zweier Dirnen vor dem königlichen Gerichtshof und dem salomonischen Urteil legt ebenfalls keinen Nachdruck auf rechtliche Details, „sondern darauf, daß der König in seiner Klugheit (,Weisheit') einen überzeugenden Weg findet, den dunklen Fall zu klären",[9] so daß hier das Moment der Ideologie des weisen Königs im Interesse des Erzählers steht, weshalb die Erzählung auf dem Hintergrund dieser Ideologie zu lesen ist.[10] Für die Stellung des Königs in der Gerichtsorganisation ist sie absolut nicht ergiebig, zumal sie aus einer Zeit stammt, in der es in Israel keinen König mehr gab.[11]

Ebenso fällt in die Nachkönigszeit die Erzählung vom Lamm des Armen (2 Sam 12,1–4), die wie 2 Sam 14,5–11 in die Kategorie der anklagenden Gerichtsparabel gehört.[12] Allein schon der narrative Anfang der Parabel („In einer Stadt lebte einst…") deutet an, daß in 2 Sam 12[13] kein historischer Fall geschildert wird. Die Geschichte wurde vielmehr erst von DtrP in die Thronfolgegeschichte integriert,[14] und es geht ihr darum,

---

[7] So *Phillips*, Law 21; *Whitelam*, King 133.

[8] Vgl. dazu oben III, 1.21 und die ebd. Anm. 48 und 49 genannte Literatur.

[9] *Noth*, Könige 52; vgl. auch *Boecker*, Redeformen 73.

[10] Zur Ideologie des weisen Königs vgl. bes. *Kalugila*, King (zu 1 Kön 3,16–28 vgl. ebd. 155f; zu Salomo allgemein ebd. 106–122).
Ein vergleichbarer Text aus der königslosen nachexilischen Zeit liegt vor mit Jes 11,1–5. Die Weisheit befähigt den idealen König, objektiv und unparteiisch zu richten (V.3), dem Armen Recht zu verschaffen (V.4a) und die Schuldigen zu vernichten (V.4b). Die Aussage, daß der Idealherrscher nicht nach Augenschein und Hörensagen richtet (V.3b), kann als Anklang an die in 1 Kön 3,16–28 geschilderte Urteilsfindung verstanden werden, da auch Salomo nicht auf das angewiesen ist, was er sieht und hört (vgl. *Haag*, David 107).
Zu weiteren Texten, die einem Idealkönig ein gerechtes Richterhandeln zuschreiben vgl. Jes 9,6; 16,5; 32,1; Jer 23,5f; 33,15f; Ps 72.

[11] Vgl. zur zeitlichen Ansetzung dieser Geschichte *Würthwein*, Könige 36.38.

[12] Vgl. *Niehr*, Gattung 103.

[13] Vgl. als grundlegende Arbeit hierzu *Simon*, Lamb passim.

[14] Vgl. dazu *Dietrich*, Prophetie 127–132; mit einer größeren vordtr Geschichte rechnet *Mettinger*, King 29–31.

eine Selbstverurteilung des Königs herbeizuführen. Diese beiden Charakteristika – Einfügung von DtrP und Selbstverurteilung des Königs – teilt sie mit der in 1 Kön 20,35–43 vorliegenden Erzählung über die symbolische Handlung des Propheten.[15] Auch dieser Text ist wie 2 Sam 12,1–4; 14,5–11 als anklagende Gerichtsparabel zu verstehen, aus der sich keine rechtshistorisch verwertbaren Aufschlüsse über die Stellung des Königs im Gerichtswesen erzielen lassen, außer daß man auf die Kontinuität der Militärgerichtsbarkeit des Heerbannführers im Königsamt verweisen könnte.

Bei einem zusammenfassenden Überblick zu den hier nur kurz vorgestellten Erzählungen fällt zunächst auf, daß in allen diesen Texten der König als Beteiligter auftritt. In den Texten 2 Sam 12,1–4; 14,5–11; 1 Kön 3,16–28 wird der König als Idealfigur gezeichnet. Am deutlichsten wird dieser Zug in 1 Kön 3,16–28, einem Text, der „rückschauend in königloser Zeit ausmalt..., daß der König sich auch der Sache der Elenden und Armen annimmt".[16] Dieser normativ-programmatische Charakter der Fiktion tritt auch hervor in den Gerichtsparabeln von 2 Sam 12 und 14, die beide David als einen König zeigen, der dem Armen (2 Sam 12) und der Witwe (2 Sam 14) Recht gegenüber einer reichen bzw. einflußreichen Gegnerschaft verschafft und der sich gleichzeitig selber durch seine Selbstverurteilung und Einsicht von diesem Ideal des rechtschaffenen Königs leiten läßt.

Ein weiterer Text, der hier zu besprechen ist, liegt mit dem Fall der Witwe von Schunem (2 Kön 8,1–6) vor. Der historische Aufhänger der Erzählung in der Rechtswirklichkeit kann in dem Zug des Falles erblickt werden, demzufolge herrenloses Land dem Krongut anheimfiel. Da dieser Aspekt der Rechtswirklichkeit innerhalb und außerhalb Israels bezeugt wird,[17] ist dieser rechtliche Aufhänger der Geschichte als realistisch zu beurteilen. Im Unterschied zu den anderen in diesem Exkurs besprochenen Texten geht es aber in 2 Kön 8,1–6 nicht um die Gestalt des Königs, vielmehr steht der einflußreiche Elischa im Mittelpunkt der Erzählung nach der Devise: „So groß war das Ansehen Elischas bei dem König."[18]

Historische Fiktionen. Hierzu gehören Texte, die als ätiologische Erzäh-

---

[15] Vgl. dazu *Dietrich*, ebd. 120–122.
[16] *Würthwein*, Könige 38.
[17] Vgl. dazu oben III, 2.312 Anm. 176.
[18] *Würthwein*, Könige 318.

lungen eine Änderung in der Rechtspraxis begründen oder diese an einer Gestalt aus vergangener Zeit festmachen wollen. Aus unserem Interessenbereich der Rechtsprechung des Königs in Israel fällt der Text 2 Chr 19,4–11 in die Kategorie der historischen Fiktion.

Der Bericht über die Rechtsreform des Königs Joschafat ist in den Kontext der chronistischen Joschafat-Überlieferung zu stellen (2 Chr 17–19). Der grundlegende Fehler der Forschung zur Gerichtsorganisation in Israel beruht darin, dies übersehen und den Text über die Reform als historischen Bericht aus seinem Kontext isoliert zu haben.[19] Des weiteren wurden die literarischen Eigenarten des Chronisten, die sich auch auf die Joschafat-Tradition auswirken, bei der Auswertung des Textes unter historischem Aspekt völlig übersehen.

Neben der Erkenntnis, daß wir es in 2 Chr 19 mit einem fiktiven Bericht zu tun haben, ist die literarische Eigenart des Chronisten mit der neueren Chronikforschung noch weiter zu präzisieren. So ist die literarische Eigenart der Chronik geprägt durch Topoi bzw. Toposkomplexe.[20] Der Text über die Neuordnung des Gerichtswesens ist chronistisches Sondergut, und er steht im Kontext des Topos „Kriegsbericht" (2 Chr 20,1–30). Der Text 2 Chr 19,4–11 hat in VV. 5–7 mit 2 Chr 17,7–9 das Motiv „Volksbelehrung" gemein, und es besteht die Möglichkeit, daß beide Texte (2 Chr 17,7–9 und 19,4–11) unter den Topos „Volksbelehrung" fallen.[21] Ein Rückschluß auf vom Chronisten verarbeitete alte Quellen ist abzulehnen, da solche in diesem Text nicht nachweisbar sind.[22] Beide Texte – 2 Chr 17 und 19 – sind Werk des Chronisten, der hier demonstriert „... den Zusammenhang, der zwischen dem ‚Suchen' Jahwes und seines Willens und dem Bemühen um gerechtes Gericht einerseits und der Festigung und Bewahrung der Gemeinde durch Jahwe andererseits ... besteht".[23] Die in 2 Chr 19 berichtete Rechtsform ist für den Chronisten

---

[19] Vgl. dazu etwa *Albright*, Reform passim; *Knierim*, Ex 18, S. 162–164; *Macholz*, Geschichte 318–330; *Whitelam*, King 185–206 und an neueren Arbeiten *Wilson*, Judicial System 243–248; *Lemaire*, Vengeance 28.
Vgl. jetzt dagegen auch *Rüterswörden*, Gemeinschaft 15–19.

[20] Vgl. dazu *Welten*, Geschichte 5f.

[21] Vgl. ebd. 184f; *Mosis*, Untersuchungen 177.

[22] Vgl. *Welten*, ebd. 184f. Anm. 18, wo sich *Welten* insbesondere gegen *Albright*, Reform 61–74 wendet. *Welten* fordert dagegen, daß sich die historische Verifizierung der These einer Rechtsreform des Joschafat auf die Geschichte von Priestern und Leviten und auf eine Geschichte des Rechtswesens stützen müßte. Beide legen jedoch eine derartige Reform nirgends nahe.

[23] *Mosis*, Untersuchungen 177.

lediglich ein paradigmatischer „Sonderfall der Bekehrung des Volkes",[24] bzw. eine „konkretisierende Exemplifikation".[25] Darauf, daß es sich nicht um einen historischen Bericht handelt, weist auch die starke Theologisierung des Reformberichtes, die darin zum Ausdruck kommt, daß die Richter für JHWH Recht sprechen (19,6), JHWH mit dem Richter ist (19,6), JHWH-Schrecken und JHWH-Furcht sie bei der Amtsausübung erfüllen (19,7.9), so daß infolge dieser Reform (20,1) der JHWH-Schrecken über die Feinde kommt.[26] Historischer Aufhänger für den Bericht 2 Chr 19,4–11 ist die Rechtsreform unter Joschija, wie sie sich in Dtn 16,18; 17,8–13 literarisch niedergeschlagen hat.[27]

Für die in 2 Chr 10 – 36 vorliegenden Toposkomplexe, in die sich auch der Reformbericht 2 Chr 19 einfügt, hat P. *Welten* deren aktuelle Funktion für die Juden in der Zeit des Chronisten (300–250 v. Chr.) aufgezeigt: „Sie sind Ermahnung zu einem bestimmten Verhalten und Handeln im Rahmen der Kultgemeinschaft, sie geben damit zugleich Hoffnung auf eine grundsätzliche Verbesserung der so bedrohlichen außenpolitischen Lage."[28]

Die rechtshistorisch gerne überschätzte Verankerung des Textes an der Person des Königs Joschafat wird seit *J. Wellhausen* mit dem Namen des Königs als „JHWH richtet" erklärt,[29] womit eine des öfteren belegte chronistische Eigenart, Darstellungen auf Eigennamen beruhen zu lassen,[30] als Ursprung der Fiktion einer Gerichtsreform in der frühen Königszeit nachgewiesen ist.

---

[24] *Rudolph*, Chronikbücher 256.

[25] *Mosis*, Untersuchungen 71.

[26] Vgl. ebd. 71f.

[27] So schon *Junge*, Wiederaufbau 81f; *Sekine*, Beobachtungen 362 und zuletzt *Rüterswörden*, Gemeinschaft 15–19.

[28] *Welten*, Geschichte 204.

[29] Vgl. *Wellhausen*, Prolegomena 186.

[30] Vgl. *Rüterswörden*, Gemeinschaft 116 Anm. 62 zu weiteren Beispielen.

Exkurs 2
Fiktionale Erzählungen zum Thema Rechtsprechung (II):
Mose als Richter

Hatte Exkurs 1 fiktionale Erzählungen zur Rechtsprechung, die den König als Richter herausstellten, zum Thema, so ist noch der Blick auf Mose als Richter und Gesetzgeber zu richten. Dieser Zug der Mosegestalt wird besonders in nachexilischer Zeit ausgebaut.

Grundsätzlich läßt sich für die Mosegestalt der nachexilischen Zeit feststellen, daß Mose „in levitische Traditionen eingewandert ist (Dtn 33,8), zu denen die Rechtsbelehrung (Dtn 33,10) und auch Rechtsprechung (Dtn 17,9ff) gehörten".[1] Der Aspekt der Rechtsprechung durch Mose wird angesprochen in Ex 18,13–27 (Neuordnung der Jurisdiktion),[2] Lev 24,10–16.23 (Lästerung des Gottesnamens),[3] Num 9,1–14 (kultische Entscheidungen), Num 15,32–36 (Übertretung des Sabbat),[4] Num 27,1–11 und Num 36 (Erbrechtsbestimmungen)[5] und Num 35 (Einrichtung der Asylstädte). Gerade dieser letzte Text, der aus der Anzahl der Levitenstädte sechs als Asylstädte wählt und der den Aufenthalt eines Mörders in einer dieser Städte an den Tod des Hohenpriesters bindet (VV. 25.28.32), sowie das Eindringen der Mosegestalt in die levitischen Traditionen von Rechtsbelehrung und Rechtsprechung weisen darauf hin, daß die Gerichtserzählungen, in denen Mose als Richter auftritt, einen priesterlich-levitischen Hintergrund haben. Auf die priesterliche Rechtsprechung als Hintergrund dieser Erzählungen deutet vor allem, daß die jeweilige Rechtsentscheidung von JHWH ausgeht und durch Mose bekannt gemacht wird.[6] Aufgrund der hier gewählten Verben und Wendungen[7] wird an einigen dieser Stellen auf die durch Urim und Tummim vollzogene Entscheidung[8] Bezug genommen, d.h. auf die typische Form priesterlicher Rechtsfindung.

Mose ist somit an einer Reihe von Stellen Prototyp des priesterlichen Richters und Gesetzgebers,[9] wie er ja teilweise auch als Priester und Levit

---

[1] *Schmid*, Gestalt 76.
[2] Vgl. dazu die in III, 2.52 Anm. 278 genannte Literatur.
[3] Vgl. zum Fall *Weingreen*, Case of the Blasphemer passim.
[4] Vgl. zum Fall *ders.*, Case of the Woodgatherer passim.
[5] Vgl. zum Fall *ders.*, Case of the Daughters passim.
[6] Vgl. Lev 24,12f; Num 9,8f; 15,34; 27,5f.
[7] So *pāraš* in Lev 24,12; Num 15,35 und *hiqrîb mišpāṭ lipne JHWH* in Num 27,5.
[8] Vgl. dazu *Maier*, Urim passim.
[9] Vgl. dazu *Schmid*, Gestalt 75–79.

betrachtet wird,[10] so daß sich wie in der Gestalt des Jitro (Ex 18) die Aspekte von Rechtsbelehrung und Opferdienst vereinigen.[11]

Es scheint somit, daß die Tradition, Mose als Richter und Gesetzgeber zu sehen, in den umfassenden Bereich der nachexilischen Glorifizierung und Idealisierung der Mosegestalt gehört und nicht nur legitimatorischen Interessen dient, da sich solche in den erwähnten Texten nur teilweise sichtbar machen lassen. Vielmehr soll wie bei einer Reihe anderer alttestamentlicher Gestalten fiktiv ein Idealbild gezeichnet werden.[12] Dieses steht im Kontext des seit spätköniglicher Zeit durch den Deuteronomismus und das Heiligkeitsgesetz neu erwachten Interesses an Mose als Gesetzeslehrer und Gesetzesvermittler.[13]

Bei einem Teil der Texte, in denen Mose als Richter agiert, handelt es sich allerdings auch um die Entscheidung neuer Rechtsfälle. So hat Ex 18,13–26 legitimierenden Charakter für eine Änderung des Rechtsprechungssystems, die somit auf Mose zurückgeführt wird. Das Vorliegen neuer Rechtsfälle zeigt sich zunächst im Fall der Verunreinigung durch einen Toten am Passahfest (Num 9,6–14), der von Mose durch eine JHWH-Befragung entschieden wird, sowie im Fall der Übertretung des Sabbat (Num 15,32–36), der grundsätzlich zu entscheiden ist. Des weiteren gilt dies für Num 27,1–11, wo ein Präzedenzfall hinsichtlich der erbrechtlichen Stellung der Frau vorliegt, durch den ein bislang geltendes Recht abgeändert wird.[14] Die neue erbrechtliche Stellung der Frau wird durch Mose als Richter und Gesetzgeber abgesichert.

Ähnliches läßt sich auch für den in Lev 24,10–16.23 berichteten Rechtsfall festhalten. Es handelt sich bei diesem Text um den einzigen Erzähltext im Heiligkeitsgesetz. Dieser spiegelt spätere Verhältnisse der jüdischen Gemeinde, da die steigende Anzahl von Nichtisraeliten eine Fremdengesetzgebung erforderte. Die VV. 17–22, die in den Kontext der VV. 10–16.23 eingeschoben sind, stellen die Forderung nach einer einheitlichen Gesetzgebung für Juden und Nichtjuden.[15] Auch hier erfolgt die Absicherung der neuen Rechtslage durch die Gestalt des Mose, der als Richter und Gesetzgeber dargestellt ist.

---

[10] Vgl. dazu ebd. 66–69.

[11] Vgl. ebd. 67.

[12] Vgl. dazu die Beispiele bei *Oeming,* Bedeutung 263f.

[13] Vgl. dazu *Schmid,* Gestalt 99; *Schreiner,* Gott 200.

[14] Vgl. *Crüsemann,* Frau 26.

[15] Vgl. *Kornfeld,* Leviticus 96.

IV. Zusammenfassung

In Mari stellte sich beim Zusammenspiel von außerstaatlicher und staatlicher Gerichtsbarkeit heraus, daß die Gerichtsbarkeit der Gentilverfassung, die von Scheichs und Ältesten ausgeübt wurde, unter staatlicher Aufsicht stand. Insgesamt dominierte die Jurisdiktion des Königs und der Gouverneure. Richter spielten nur eine sehr untergeordnete Rolle in der staatlichen Gerichtsbarkeit. Von einer Tempelgerichtsbarkeit war in Mari nicht die Rede.

In altbabylonischer Zeit ließen sich drei Bereiche der Jurisdiktion unterscheiden: die Jurisdiktion der Ältesten und der Versammlung der Vollbürger als Vorgänger der königlichen Gerichtsbarkeit; die Jurisdiktion des Königs und seiner Beamten, die im Laufe der Zeit die gesamte Gerichtsbarkeit unter ihre Kontrolle brachten, und die von Priestern verwaltete Tempelgerichtsbarkeit, die in den schwierigen Fällen der Rechtsfindung auf den Plan trat.

In den syrisch-kanaanäischen Stadtstaaten war grundsätzlich die gleiche Aufteilung von Jurisdiktionskompetenzen auf eine gentile Gerichtsbarkeit (Älteste und Bürgerversammlung) einerseits und eine königliche Gerichtsbarkeit (König, Statthalter, Richter) andererseits wie in Mesopotamien festzustellen. Eine Tempelgerichtsbarkeit ließ sich nicht ausmachen.

Trotz der unterschiedlichen politischen und sozialen Bedingungen in Mari, Assur-Babylon und Syrien-Kanaan lassen sich gemeinsame Grundzüge der Gerichtsorganisation in diesen Staaten und Gesellschaften festhalten. Hierbei fallen zwei Züge ins Auge: 1) Die Aufteilung der Gerichtsbarkeit in die zwei Bereiche der gentilen und der staatlichen Gerichtsbarkeit, deren einer vom Volk und deren anderer vom König kontrolliert wird; 2) Der Versuch des Staates, die gesamte Gerichtsbarkeit seinem Einfluß zu unterwerfen und die Aufgaben im forensischen Bereich an Beamte zu delegieren.

Bei der Untersuchung der Gerichtsorganisation des vorstaatlichen Israel auf dem Hintergrund einer segmentären Gesellschaftsstruktur ergaben sich zwei gentile und eine außergentile Form der Rechtsprechung. Im gentilen Bereich handelte es sich um die Jurisdiktionskompetenz des pater familias innerhalb seiner Familie und die Jurisdiktionskompetenz der Ältesten als familien- und sippenübergreifende Ortsgerichtsbarkeit. Im Unterschied zu Mesopotamien und Syrien-Kanaan ließ sich für Israel eine

Versammlung der Vollbürger als Rechtsprechungsgremium nicht ausmachen. Als außergentile Form der Rechtsfindung trat eine von Priestern verwaltete Gerichtsbarkeit auf. Das Nebeneinander dieser drei Formen der Gerichtsbarkeit war begleitet vom Fehlen einer übergeordneten Instanz, da im vorstaatlichen Israel weder eine Zentralinstanz noch die Existenz von Stammesrichtern nachweisbar ist.

Diese Konstellation der Gerichtsbarkeit änderte sich auch nicht mit dem Aufkommen des Staates, da sich zeigte, daß das Auftreten des Königtums keinen jähen Wandel in der Gerichtsbarkeit mit sich brachte. Aufgrund der sozialen Veränderungen der staatlichen Zeit verschob sich die Jurisdiktionskompetenz des pater familias zugunsten der Ältesten, die ihren Einfluß in der Gerichtsorganisation ausdehnen konnten, zumal sie in ihren politischen Möglichkeiten durch die neue Zentralregierung beschnitten wurden. Der König führte als pater familias und Heerbannführer alte Traditionen der Rechtsprechung in seinem königlichen Hofstaat, zu dem die Beamten gehörten, sowie in seinem Heer weiter. Da mit dem Königtum und seiner Verwaltung auch neue Rechtsstrukturen und -probleme auftraten, wurden diesbezügliche Rechtsangelegenheiten vom König und seinen Beamten entschieden, zumal die herkömmlichen Formen der Gerichtsbarkeit hier nicht griffen.

Ein neuer Aspekt der Gerichtsbarkeit ergab sich dadurch, daß die Könige sich von Anfang an den Bereich der Rechtsprechung zunutze machten, um politische Ziele zu verfolgen oder ihren Besitz zu sichern. Die Struktur der Gerichtsbarkeit wurde hiervon nicht betroffen, wenn auch die gesamte Gerichtsbarkeit mehr und mehr unter königlichen Einfluß gelangte.

Eine an die Verwaltungsgerichtsbarkeit anknüpfende Neuerung der Gerichtsorganisation ergab sich erst in spätvorexilischer Zeit im Kontext der mit der Kultusreform des Joschija verbundenen Zentralisationsmaßnahmen. Hier wurden erstmalig in der Geschichte der israelitischen Gerichtsorganisation Richter eingesetzt, die sich als Fachleute für die Rechtsprechung aus den Beamten und den Militärs rekrutierten. Ihre Aufgabe bestand darin, nach dem Wegfall der Höhenheiligtümer einen Ersatz für die dort praktizierte Rechtsprechung zu schaffen, und zum andern in die Bereiche der Ältestengerichtsbarkeit einzudringen, um hier eine größere Objektivität in der Rechtsprechung zu sichern.

Die Situation des Exils brachte einen grundlegenden Umschwung in der politischen und sozialen Lage Israels mit sich, der auch Auswirkungen hatte auf die Gerichtsorganisation der nachexilischen Zeit.

So schwand zum einen der Einfluß der Ältesten und des pater familias, und zum anderen setzte sich die Gerichtsbarkeit der durch die Häupter der Vaterhäuser repräsentierten Sippen durch. Im Kontext des Aufstiegs der Sippengerichtsbarkeit ergab sich in dieser Zeit auch eine Gerichtsbarkeit der Gemeinde.

Die staatliche Gerichtsbarkeit wurde durch den Statthalter und die Richter ausgeübt; im Rahmen der unter den Achämeniden geübten Lokalautonomie war deren Einfluß jedoch nach dem Ausweis der alttestamentlichen Quellen nicht sonderlich groß.

Den größten Einfluß auf die Gerichtsbarkeit der nachexilischen Zeit übten die Priester aus. Zeitweilig konnte der Hohepriester die Gerichtsbarkeit ganz unter seinen Einfluß bringen; allerdings ließ sich in späterer Zeit eine Entmachtung des Hohenpriesters durch das Synedrion und die Gerichtshöfe feststellen.

Literaturverzeichnis

Ackroyd, P. R., Exile and Restauration (OTL) London 1968.

–, Israel under Babylonia and Persia, London 1970.

Ahlström, G. W., Royal Administration and National Religion in Ancient Palestine (Studies in the History of the Ancient Near East 1) Leiden 1982.

Albertz, R., art. ṣ‘q schreien, in: THAT II (1976) 568–575.

–, Täter und Opfer im Alten Testament: ZEE 28 (1984) 146–166.

Albright, W. F., The Judicial Reform of Jehoshaphat, in: *S. Liebermann* (Hrsg.), Alexander Marx Jubilee Volume, New York 1950, 61–82.

Allam, S., art. Gerichtsbarkeit, in: LexÄg I (1977) 536–553.

Alt, A., Die Ursprünge des israelitischen Rechts, in: *ders.,* KS 1, München 1953, 278–332.

–, Das Königtum in den Reichen Israel und Juda, in: *ders.,* KS 2, München 1953, 116–134.

–, Hohe Beamte in Ugarit, in: *ders.,* KS 3, München 1959, 186–197.

–, Menschen ohne Namen, in: *ders.,* KS 3, München 1959, 198–213.

–, Der Stadtstaat Samaria, in: *ders.,* KS 3, München 1959, 258–302.

–, Der Anteil des Königtums an der sozialen Entwicklung in den Reichen Israel und Juda, in: *ders.,* KS 3, München 1959, 348–372.

Artzi, P., „Vox Populi" in the El-Amarna Tablets: RA 58 (1964) 159–166.

Begrich, J., Sofer und Mazkir, in: *W. Zimmerli* (Hrsg.), Gesammelte Studien zum Alten Testament (ThB 21) München 1964, 67–98.

–, Die priesterliche Tora, in: *W. Zimmerli* (Hrsg.), Gesammelte Studien zum Alten Testament (ThB 21) München 1964, 232–260.

Bellefontaine, E., Deuteronomy 21:18–21: Reviewing the Case of the Rebellious Son: JSOT 13 (1979) 13–31.

Ben-Barak, Z., Meribaal and the System of Land Grants in Ancient Israel: Bibl 62 (1981) 73–91.

Bettenzoli, G., Gli „Anziani di Israele": Bibl 64 (1983) 43–73.

–, Gli „Anziani" in Giuda: Bibl 64 (1983) 211–224.

Beyerlin, W., Die Rettung der Bedrängten in den Feindpsalmen auf institutionelle Zusammenhänge untersucht (FRLANT 99) Göttingen 1970.

Birot, M. (Hrsg.), Lettres de Yaqqim-Addu Gouverneur de Sagarâtum (ARM XIV) Paris 1974.

Boecker, H. J., Redeformen des Rechtslebens im Alten Testament (WMANT 14) Neukirchen ²1970.

–, Recht und Gesetz im Alten Testament und im Alten Orient, Neukirchen 1976.

Bottéro, J., L'ordalie en Mésopotamie ancienne, in: Annali della Scuola normale superiore di Pisa. Classe de lettere e filosofia. Serie II, vol. XI/4, Pisa 1981, 1005–1067.

Bovati, P., Ristabilire la Giustizia (AnBibl 110) Rom 1986.

Boyer, G., La place des textes d'Ugarit dans l'histoire de l'ancien droit oriental, in: *J. Nougayrol* (Hrsg.), PRU III, Paris 1955, 283–308.

–, Textes juridiques (ARM VIII) Paris 1958.

–, Commentaire juridique, in: *ders.*, Textes juridiques (ARM VIII) Paris 1958, 157–245.

–, Les tablettes juridiques de Mari, in: *ders.*, Mélanges d'histoire du droit oriental (Récueil de l'Académie de Législation. Sixième Série – Tome III – 115ᵉ Année) Paris 1965, 29–43.

–, Royauté et droit public dans les textes d'Ugarit, in: *ders.*, Mélanges d'histoire du droit oriental (Récueil de l'Académie de Législation. Sixième Série – Tome III – 115ᵉ Année) Paris 1965, 153–167.

Brongers, H. A., Alternative Interpretationen des sogenannten Waw copulativum: ZAW 90 (1978) 273–277.

Buccellati, G., Cities and Nations of Ancient Syria (Studi Semitici 26) Rom 1967.

Budd, P. J., Priestly Instruction in Pre-Exilic Israel: VT 23 (1973) 1–14.

Cardellini, I., Die biblischen „Sklaven"-Gesetze im Lichte des keilschriftlichen Sklavenrechts (BBB 55) Bonn 1981.

Causse, A., L'idéal politique du Deutéronome. La fraternité d'Israel: RHPhR 13 (1933) 289–321.

Cazelles, H., Etudes sur le Code de l'Alliance, Paris 1946.

–, De l'idéologie royale, in: *D. Marcus* (Hrsg.), The Gaster Festschrift (JANES 5) New York 1973, 59–73.

–, Droit public dans le Deutéronome, in: *N. Lohfink* (Hrsg.), Das Deuteronomium (BETL LXVIII) Leuven 1985, 99–106.

Clauss, M., Gesellschaft und Staat in Juda und Israel (Eichstädter Hochschulreden 48) München 1985.

–, Geschichte Israels, München 1986.

Cody, A., A History of Old Testament Priesthood (AnBibl 35) Rom 1969.

Conrad, J., art. *zāqen*, in: ThWAT II (1977) 639–650.

Cornelius, F., Geschichte der Hethiter, Darmstadt 1973.

Cowley, A. (Hrsg.), Aramaic Papyri of the Fifth Century B.C., Oxford 1923 = Osnabrück 1967.

Crüsemann, F., Der Widerstand gegen das Königtum (WMANT 49) Neukirchen 1978.

–, „... er aber soll dein Herr sein." Gen 3,16. Die Frau in der patriarchalischen Welt des Alten Testaments, in: *ders.* – *H. Thyen* (Hrsg.), Als Mann und Frau geschaffen (Kennzeichen 2) Gelnhausen–Berlin 1978, 13–106.

–, „... damit er dich segne in allem Tun deiner Hand..." (Dtn 14,29). Die Produktionsverhältnisse der späten Königszeit, dargestellt am Ostrakon von Meṣad Ḥashavjahu, und die Sozialgesetzgebung des Deuteronomiums, in: *L. Schottroff* – *W. Schottroff* (Hrsg.), Mitarbeiter der Schöpfung, München 1983, 72–103.

–, „... und die Gesetze des Königs halten sie nicht" (Est 3,8). Widerstand und Recht im Alten Testament: WuD 17 (1983) 9–25.

Dandamayev, M. A., The Neo-Babylonian Elders, in: Societies and Languages of the Ancient Near East. Studies in Honour of I. M. Diakonoff, Warminster 1982, 38–41.

Daube, D., Studies in Biblical Law, New York 1969.

Deissler, A., Zwölf Propheten II. Obadja. Jona. Micha. Nahum. Habakuk (NEB) Würzburg 1984.

Delekat, L., Asylie und Schutzorakel am Zionheiligtum, Leiden 1967.

Deller, K.-H., Die Rolle des Richters im neuassyrischen Prozeßrecht, in: Studi in Onore di Edoardo Volterra 6, Milano 1971, 639–653.

Dietrich, M. – Loretz, O. (Hrsg.), Die Keilalphabetischen Texte aus Ugarit (AOAT 24) Kevelaer-Neukirchen 1976.

Dietrich, W., Prophetie und Geschichte (FRLANT 108) Göttingen 1972.

–, Israel und Kanaan (SBS 94) Stuttgart 1979.

Dion, P., Deutéronome 21,1–9: Miroir du développement légal et religieux d'Israel: ScR 11 (1982) 13–22.

Dommershausen, W., art. *kohen*, in: ThWAT IV (1984) 62–79.

Donner, H., Studien zur Verfassungs- und Verwaltungsgeschichte der Reiche Israel und Juda. Diss. Leipzig 1956.

–, Die soziale Botschaft der Propheten im Lichte der Gesellschaftsordnung in Israel: OrAnt 2 (1963) 229–245.

–, Geschichte des Volkes Israel und seiner Nachbarn in Grundzügen (ATD ER 4/1; 4/2) Göttingen 1984–1986.

Donner, H. – Röllig, W. (Hrsg.), KAI I–III, Wiesbaden ²1966–1969.

Dossin, G. (Hrsg.), Correspondence de Šamši-Addu (ARM I) Paris 1950.

–, Correspondence de Šamši-Addu (ARM IV) Paris 1951.

–, Correspondence de Iasmah-Addu (ARM V) Paris 1952.

Dossin, G. – Finet, A. (Hrsg.), Correspondence féminine (ARM X) Paris 1978.

Ebach, J., Kritik und Utopie. Untersuchungen zum Verhältnis von Volk und Herrscher im Verfassungsentwurf des Ezechiel (Kap. 40 – 48) Hamburg 1972.

–, art. Frau. II. Altes Testament, in: TRE XI (1983) 422f.

Eder, K., Die Entstehung staatlich organisierter Gesellschaften, Frankfurt 1976.

Elliger, K. – Rudolph, W. (Hrsg.), Biblia Hebraica Stuttgartensia, Stuttgart 1977.

Engel, H., Abschied von den frühisraelitischen Nomaden und der Jahweamphiktyonie: BiKi 38 (1983) 43–46.

–, Die Susanna-Erzählung (OBO 61) Fribourg-Göttingen 1985.

Fabry, H.-J., art. *dal*, in: ThWAT II (1977) 221–244.

–, *sôd*. Der himmlische Thronrat als ekklesiologisches Modell, in: *ders.* (Hrsg.), Bausteine biblischer Theologie. FS G. J. Botterweck (BBB 50) Bonn 1977, 99–126.

–, Studien zur Ekklesiologie des Alten Testaments und der Qumrangemeinde. Diss. habil. masch. Bonn 1979.

–, Gott im Gespräch zwischen den Generationen. Überlegungen zur „Kinderfrage" im AT: KatBl 108 (1983) 754–760.

–, art. *kisse'*, in: ThWAT IV (1984) 247–272.

Falk, Z. F., art. Asylrecht. II. Altes Testament, in: TRE IV (1979) 318f.

Fendler, M., Zur Sozialkritik des Amos: EvTheol 33 (1973) 32–53.

Fensham, F. C., Das Nicht-Haftbar-Sein im Bundesbuch im Lichte der altorientalischen Rechtstexte: JNWSL 8 (1980) 17–34.

Finet, A., Les autorités locales dans le royaume de Mari: Akk 26 (1982) 1–16.

Fohrer, G., Die Familiengemeinschaft, in: *ders.* (Hrsg.), Studien zu alttestamentlichen Texten und Themen (1966–1972) (BZAW 155) Berlin 1981, 161–171.

–, Geschichte Israels, Heidelberg ²1982.

Frei, P., Zentralgewalt und Lokalautonomie im Achämenidenreich, in: *ders.* – *K. Koch* (Hrsg.), Reichsidee und Reichsorganisation im Perserreich (OBO 55) Fribourg-Göttingen 1984, 7–43.

Frick, F. S., The Formation of the State in Ancient Israel (The Social World of Biblical Antiquity Series 4) Sheffield 1985.

Galling, K., Textbuch zur Geschichte Israels, Tübingen ³1979.

Gamper, A., Gott als Richter in Mesopotamien und im Alten Testament, Innsbruck 1966.

García López, F., Le roi d'Israel: Dtn 17,14–20, in: *N. Lohfink* (Hrsg.), Das Deuteronomium (BETL LXVIII) Leuven 1985, 277–297.

Garelli, P., art. Hofstaat. B. Assyrisch, in: RLA IV (1975) 446–452.

Gaudemet, J., art. Familie I (Familienrecht), in: RAC VII (1969) 286–358.

Gelb, J. u. a., The Assyrian Dictionary of the University of Chicago, Chicago 1956ff.

Gemser, B., The Rib- or Controversy-Pattern in Hebrew Mentality, in: *M. Noth* – *D. Winton Thomas* (Hrsg.), Wisdom in Israel and the Ancient Near East (VTS 3) Leiden 1955, 120–137.

Gerstenberger, E., Wesen und Herkunft des „Apodiktischen Rechts" (WMANT 20) Neukirchen 1965.

Gerstenberger, E. – *Schrage, W.,* Frau und Mann (Biblische Konfrontationen) Stuttgart 1980.

Geus, C. H. J., The Tribes of Israel (SSN 18) Assen–Amsterdam 1978.

Gray, J., I & II Kings (OTL) London ³1980.

Grønbaek, J. H., Die Geschichte vom Aufstieg Davids (AThD 10) Kopenhagen 1971.

Groß, H., Das Priestertum des Alten Testaments, in: *J. Schreiner* (Hrsg.), Freude am Gottesdienst. FS J. Plöger, Stuttgart 1983, 373–381.

Grothus, J., Die Rechtsordnung der Hethiter, Wiesbaden 1973.

Güterbock, H. G., Authority and Law in the Hittite Kingdom, in: *H. M. Hoenigswald* (Hrsg.), Authority and Law in the Ancient Orient (Supplements to JAOS 17) Baltimore 1954, 16–24.

Gunneweg, A. H. J., Zur Interpretation der Bücher Esra–Nehemia, zugleich ein Beitrag zur Methode der Exegese, in: VTS 32, Leiden 1981, 146–161.

–, Esra (KAT XIX/1) Gütersloh 1985.

Haag, E., Der neue David und die Offenbarung der Lebensfülle nach Jesaja 11,1–9, in: *M. Böhnke* – *H. Heinz* (Hrsg.), Im Gespräch mit dem dreieinen Gott. FS W. Breuning, Düsseldorf 1985, 97–114.

Haag, H., art. ḥāmās, in: ThWAT II (1977) 1050–1061.

Halbe, J., Das Privilegrecht Jahwes. Ex 34,10–36 (FRLANT 114) Göttingen 1975.

–, Die Reihe der Inzestverbote Lev 18,7–18: ZAW 92 (1980) 60–88.

–, „Gemeinschaft, die Welt unterbricht", in: *N. Lohfink* (Hrsg.), Das Deuteronomium (BETL LXVIII) Leuven 1985, 55–75.

Hallo, W. W. – *Tadmor, H.,* A Lawsuit from Hazor: IEJ 27 (1977) 1–11.

Hamp, V., art. *dîn,* in: ThWAT I (1972) 200–207.

Harris, R., On the Process of Secularization under Hammurapi: JCS 15 (1961) 117–120.

Hasel, G. F., art. *zāʿaq*, in: ThWAT II (1977) 628–639.

Helck, W., Wesen, Entstehung und Entwicklung altägyptischen „Rechts", in: *W. Fikentscher – H. Franke – O. Köhler* (Hrsg.), Entstehung und Wandel rechtlicher Traditionen (Veröffentlichungen des „Instituts für Historische Anthropologie e. V." 2) Freiburg–München 1980, 303–324.

Heltzer, M., The Rural Community in Ancient Ugarit, Wiesbaden 1976.

–, The Internal Organization of the Kingdom of Ugarit, Wiesbaden 1982.

Hempel, J., Die Schichten des Deuteronomiums, Leipzig 1914.

Hengel, M., Judentum und Hellenismus (WUNT 10) Tübingen 1969.

Hentschel, G., 2 Könige (NEB) Würzburg 1985.

Hertzberg, H. W., Die Samuelbücher (ATD 10) Göttingen 1956.

Hornung, E., Einführung in die Ägyptologie, Darmstadt ²1984.

Horst, F., art. Gericht, Gerichtsbarkeit, Gerichtsverfassung in Israel, in: EKL I (1956) 1510–1512.

–, art. Familie, in: RGG³ II (1958) 865f.

–, art. Gerichtsverfassung in Israel, in: RGG³ II (1958) 1427–1429.

–, Das Privilegrecht Jahwes, in: *H. W. Wolff* (Hrsg.), *F. Horst*, Gottes Recht (ThB 12) München 1961, 17–154.

–, Der Diebstahl im Alten Testament, in: *H. W. Wolff* (Hrsg.), *F. Horst*, Gottes Recht (ThB 12) München 1961, 167–175.

–, Naturrecht und Altes Testament, in: *H. W. Wolff* (Hrsg.), *F. Horst*, Gottes Recht (ThB 12) München 1961, 235–259.

–, Der Eid im Alten Testament, in: *H. W. Wolff* (Hrsg.), *F. Horst*, Gottes Recht (ThB 12) München 1961, 292–314.

–, Hiob (BK XVI/1) Neukirchen 1968.

Hossfeld, F.-L., Der Dekalog (OBO 45) Fribourg–Göttingen 1982.

–, Die alttestamentliche Familie vor Gott, in: *J. Schreiner* (Hrsg.), Freude am Gottesdienst. FS J. Plöger, Stuttgart 1983, 217–228.

Hossfeld, F.-L. – Meyer, I., Der Prophet vor dem Tribunal: ZAW 86 (1974) 30–50.

Hruby, K., Die Synagoge (Schriften zur Judentumskunde 3) Zürich 1971.

Huppenbauer, H. W., Gerichtshaus und Gerichtstag im Habakuk-Kommentar von Qumran: ThLZ 17 (1961) 281f.

Ishida, T., The Royal Dynasties in Ancient Israel (BZAW 142) Berlin–New York 1977.

Jackson, B. S., The Problem of Exod. XXI 22–5 (Ius Talionis): VT 23 (1973) 273–304.

Jacobsen, Th., Primitive Democracy in Ancient Mesopotamia: JNES 2 (1943) 159–172.

Janowski, B., Rettungsgewißheit und Epiphanie des Heils. Diss. habil. masch. Tübingen 1984.

Janssen, E., Juda in der Exilszeit (FRLANT 69) Göttingen 1956.

Jean, C. F. (Hrsg.), Lettres diverses (ARM II) Paris 1950.

Jeremias, J., Der Prophet Hosea (ATD 24,1) Göttingen 1983.

Jüngling, H.-W., Richter 19 – Ein Plädoyer für das Königtum (AnBibl 84) Rom 1981.

Junge, E., Der Wiederaufbau des Heerwesens des Reiches Juda unter Josia (BWANT 75) Stuttgart 1937.

Kaiser, O., Das Buch des Propheten Jesaja. Kapitel 1–12 (ATD 17) Göttingen 1981.

Kalugila, L., The Wise King (CB 15) Lund 1980.

Kegler, J., Politisches Geschehen und theologisches Verstehen (CThM A 8) Stuttgart 1977.

Kienast, B., Rechtsurkunden in ugaritischer Sprache: UF 11 (1979) 431–452.

Kinet, D., Ugarit – Geschichte und Kultur einer Stadt in der Umwelt des Alten Testaments (SBS 104) Stuttgart 1981.

Kippenberg, H. G., Religion und Klassenbildung im antiken Judäa (StUNT 14) Göttingen ²1982.

Klengel, H., Benjaminiten und Hanäer: Wissenschaftliche Zeitschrift der Humboldtuniversität zu Berlin. Ges.-Sprachwiss. R. (1958/59) 211–227.

–, Zu den šibūtum in altbabylonischer Zeit: Or NS 29 (1960) 357–375.

–, Zwischen Zelt und Palast, Leipzig–Wien 1972.

Knierim, R., Exodus 18 und die Neuordnung der mosaischen Gerichtsbarkeit: ZAW 73 (1961) 146–171.

Koch, K., Sdq im Alten Testament. Diss. Heidelberg o.J.

–, Die Entstehung der sozialen Kritik bei den Propheten, in: *H. W. Wolff* (Hrsg.), Probleme biblischer Theologie. FS G. von Rad, München 1971, 236–257.

Köhler, L., Der hebräische Mensch, Tübingen 1953.

Kornfeld, W., L'adultère dans l'Orient antique: RB 57 (1950) 92–109.

–, Leviticus (NEB) Würzburg 1983.

Korošec, V., Keilschriftrecht, in: HdO I/3, Leiden 1964, 49–219.

Kraus, F. R., Ein zentrales Problem des alt-mesopotamischen Rechts: Was ist der Kodex Hammurapi?: Gen 8 (1960) 283–296.

–, Briefe aus dem British Museum (AbB 1) Leiden 1964.

–, Briefe aus dem Archive des Šamaš-Ḫāzir (AbB 4) Leiden 1969.

Kraus, H.-J., Psalmen 1 – 59 (BK XV/1) Neukirchen ⁵1978.

Krecher, J., Das Rechtsleben und die Auffassung vom Recht in Babylonien, in: *W. Fikentscher – H. Franke – O. Köhler* (Hrsg.), Entstehung und Wandel rechtlicher Traditionen (Veröffentlichungen des „Instituts für Historische Anthropologie e.V." 2) Freiburg–München 1980, 325–354.

Krückmann, O., art. Beamter, in: RLA I (1928) 444–451.

Kupper, J. R., Baḫdi-Lim, préfet du palais de Mari: Bulletin de la classe des lettres et des sciences morales et politiques 40 (1954) 572–587.

–, Les nomades en Mésopotamie au temps des rois de Mari (Bibliothèque de la Faculté de Philosophie et Lettres de l'Université de Liège 142) Paris 1957.

Kutsch, E., art. Gottesurteil II. In Israel, in: RGG³ II (1958) 1808f.

Kuyper, J. de, Le système judiciaire à Mari au temps de la première dynastie de Babylone. Mémoire de licence. Université libre de Bruxelles 1979/80. [Vgl. dazu Akk 22 (1981) 33].

Labuschagne, C. J., art. ʿnh I antworten, in: THAT II (1976) 335–341.

Lang, B., Das Verbot des Meineids im Dekalog: TThQ 161 (1981) 97–105.

Lautner, G., Die richterliche Entscheidung und die Streitbeendigung im altbabylonischen Prozeßrechte (LrS 3) Leipzig 1922.

Leemans, W. F., King Hammurapi as Judge, in: *J. A. Ankum – R. Feenstra – W. F. Leemans* (Hrsg.), Symbolae Juridicae et Historicae Martino David Dedicatae 2, Leiden 1968, 107–129.

Lefèvre, A., art. Ordalie, in: DBS VI (1960) 8000–8006.

Lehming, S., art. Gerichtsverfahren, in: BHHW I (1962) 550f.

Lemaire, A., Inscriptions Hébraiques I. Les ostraca (Littératures Anciennes du Proche-Orient) Paris 1977.

–, Vengeance et justice dans l'Ancien Israel, in: *R. Verdier – J. P. Poly* (Hrsg.), La vengeance 3, Paris 1984, 13–33.

Lemche, N. P., David's Rise: JSOT 10 (1978) 2–25.

–, On Sociology and the History of Israel. A Reply to Eckhardt Otto – and Some Further Considerations: BN 21 (1983) 48–58.

Levin, Chr., Die Verheißung des neuen Bundes (FRLANT 137) Göttingen 1985.

Levine, L. I., Ancient Synagogues – A Historical Introduction, in: *ders.* (Hrsg.), Ancient Synagogues Revealed, Jerusalem 1981, 1–10.

Liedke, G., Gestalt und Bezeichnung alttestamentlicher Rechtssätze (WMANT 39) Neukirchen 1971.

–, art. *jkḥ hi.* feststellen, was recht ist, in: THAT I (1971) 730–732.

Liverani, M., ΣΥΔΥΚ e ΜΙΣΩΡ, in: Studi in Onore di Edoardo Volterra 6, Milano 1971, 55–74.

–, La royauté syrienne de l'âge du bronze récent, in: *P. Garelli* (Hrsg.), Le Palais et la Royauté (CRRAI XIX) Paris 1972, 329–356.

–, Communautés de village et palais royal dans la Syrie du IIème millénaire: JESHO 18 (1975) 146–164.

Locher, C., Wie einzigartig war das altisraelitische Recht?: Jud 38 (1982) 130–140.

–, Die Ehre einer Frau in Israel (OBO 70) Fribourg–Göttingen 1986.

Lohfink, N., Die Sicherung der Wirksamkeit des Gotteswortes durch das Prinzip der Schriftlichkeit der Tora und durch das Prinzip der Gewaltenteilung nach den Ämtergesetzen des Buches Deuteronomium (Dt 16,18 – 18,22), in: *W. Wolter* (Hrsg.), Testimonium Veritati. FS W. Kempf (FThSt 7) Frankfurt 1971, 143–155.

–, Die segmentären Gesellschaften Afrikas als neue Analogie für das vorstaatliche Israel: BiKi 38 (1983) 55–58.

–, Die Verbindung des gesellschaftlichen Willens mit dem Jahweglauben im frühen Israel: BiKi 38 (1983) 69–72.

–, Zur neueren Diskussion über 2 Kön 22 – 23, in: *ders.* (Hrsg.), Das Deuteronomium (BETL LXVIII) Leuven 1985, 24–48.

Loretz, O., Ugaritisch *skn – šknt* und hebräisch *skn – sknt:* ZAW 94 (1982) 123–126.

Luhmann, N., Rechtssoziologie 1, Hamburg 1972.

Mabee, Ch. R., The Problem of Setting in Hebrew Royal Judiciary Narratives. Ph. Diss. Claremont 1977.

–, Jacob and Laban: VT 30 (1980) 192–207.

–, David's Judicial Exoneration: ZAW 92 (1980) 89–107.

Macdonald, J., The Role and Status of the ṣuḫārū in the Mari Correspondence: JAOS 96 (1976) 57–68.

–, An Assembly at Ugarit?: UF 11 (1979) 515–526.

Macholz, G. Chr., Die Stellung des Königs in der israelitischen Gerichtsverfassung: ZAW 84 (1972) 157–182.

–, Zur Geschichte der Justizorganisation in Juda: ZAW 84 (1972) 314–340.

–, Gerichtsdoxologie und israelitisches Rechtsverfahren: DBAT 9 (1975) 52–69.

Maier, J., Urim und Tummim: Kairos 11 (1969) 22–38.

Mantel, H., Studies in the History of the Sanhedrin, Cambridge (Mass.) 1965.

Marzal, A., The Provincial Governor at Mari: His Title and Appointment: JNES 30 (1971) 186–217.

–, Mari Clauses in „Casuistic" and „Apodictic" Styles: CBQ 33 (1971) 333–364. 492–509.

–, La raíz špṭ (ŠIPṬUM, ŠAPĀṬUM, ŠĀPIṬUM, ŠAPIṬŪTUM) y las palabras MERḪŪM y ABU BĪTIM en ARMT XIV: Sefarad 36 (1976) 221–239.

Mayer, G., art. *jkḥ*, in: ThWAT III (1982) 620–628.

Mays, J. L., Micah (OTL) London ²1980.

–, Hosea (OTL) London ⁴1982.

McKane, W., Poison, Trial by Ordeal and the Cup of Wrath: VT 30 (1980) 474–492.

McKay, J. W., Exodus XXIII 1–3, 6–8: A Decalogue for the Administration of Justice in the City Gate: VT 21 (1971) 311–325.

McKeating, H., The Development of the Law on Homicide in Ancient Israel: VT 25 (1975) 46–68.

–, Sanctions against Adultery in Ancient Israelite Society, with some Reflections on the Methodology in the Study of OT Ethics: JSOT 11 (1979) 57–72.

McKenzie, D. A., Judicial Procedure at the Town Gate: VT 14 (1964) 100–104.

McKenzie, J. L., The Elders in the Old Testament: Bibl 40 (1959) 522–540.

Mendenhall, G., Ancient Oriental and Biblical Law: BA 17 (1954) 26–46.

Merendino, R. P., Das deuteronomische Gesetz (BBB 31) Bonn 1969.

Mettinger, T., King and Messiah (CB 8) Lund 1976.

Milgrom, J., The alleged ‚Demythologization and Secularization' in Deuteronomy: IEJ 23 (1973) 156–161.

Miller, G. I., Studies in the Juridical Texts from Ugarit. Diss. Baltimore 1980.

Mosis, R., Untersuchungen zur Theologie des chronistischen Geschichtswerks (FrThSt 92) Freiburg 1973.

Müller, H.-P., art. *qāhāl* Versammlung, in: THAT II (1976) 609–619.

Neu, R., „Israel" vor der Entstehung des Königtums: BZ NF 30 (1986) 204–221.

Niehr, H., Zur Etymologie und Bedeutung von *'śr* I: UF 17 (1985) 231–235.

–, Herrschen und Richten. Die Wurzel špṭ im Alten Orient und im Alten Testament (FzB 54) Würzburg 1986.

–, Zur Gattung von Jes 5,1–7: BZ NF 30 (1986) 99–104.

–, Grundzüge der Forschung zur Gerichtsorganisation Israels: BZ NF 31 (1987) 206–227.

Nielsen, K., Le choix contre le droit dans le livre de Ruth: VT 35 (1985) 201–212.

Nötscher, F., Biblische Altertumskunde, Bonn 1940.

North, R., Civil Authority in Esra, in: Studi in Onore di Edoardo Volterra 6, Milano 1971, 377–404.

Noth, M., Das Krongut der israelitischen Könige und seine Verwaltung: ZDPV 50 (1927) 211–244.

–, Das Amt des „Richters Israels", in: *W. Baumgartner – O. Eissfeldt – L. Rost* (Hrsg.), FS A. Bertholet, Tübingen 1950, 404–417.

–, Das Buch Josua (HAT I/7) Tübingen 1953.

–, Könige I/1–16 (BK IX/1) Neukirchen ²1983.

Nougayrol, J., Documents du Habur: Syr 37 (1960) 205–214.

Oeming, M., Bedeutung und Funktion von „Fiktionen" in der alttestamentlichen Geschichtsschreibung: EvTheol 44 (1984) 254–266.

Olivier, J. P. J., In Search of a Capital for the Northern Kingdom: JNWSL 11 (1983) 117–132.

Otto, E., Prolegomena zur Frage der Gesetzgebung und Rechtsprechung in Ägypten, in: MDAI Kairo. FS H. Kees, Wiesbaden 1956, 150–159.

Otto, E., Zur Stellung der Frau in den ältesten Rechtstexten des Alten Testaments (Ex 20,14; 22,15f.) – wider die hermeneutische Naivität im Umgang mit dem Alten Testament: ZEE 26 (1982) 279–305.

–, Historisches Geschehen – Überlieferung – Erklärungsmodell: BN 23 (1984) 63–80.

–, Kultus und Ethos in Jerusalemer Theologie: ZAW 98 (1986) 161–179.

Paul, Sh. M., Studies in the Book of the Covenant in the Light of Cuneiform and Biblical Law (VTS 18) Leiden 1970.

Perlitt, L., Der Vater im Alten Testament, in: *H. Tellenbach* (Hrsg.), Das Vaterbild in Mythos und Geschichte, Stuttgart 1976, 50–101.

Pettinato, G., The Achives of Ebla, New York 1981.

Phillips, A., Ancient Israel's Criminal Law, Oxford 1970.

–, Some Aspects of Family-Law in Pre-Exilic Israel: VT 23 (1973) 349–361.

–, Another Example of Family Law: VT 30 (1980) 240–245.

Pintore, F., La struttura giuridica, in: *S. Moscati* (Hrsg.), L'Alba della Civiltà I, Torino 1976, 417–511.

Plautz, W., Zur Frage des Mutterrechts im Alten Testament: ZAW 74 (1962) 313–333.

Preß, R., Das Ordal im Alten Israel: ZAW 51 (1933) 121–140. 227–255.

Preuß, H. D., Deuteronomium (EdF 164) Darmstadt 1982.

Rad, G. von, Das erste Buch Mose (ATD 1) Göttingen 1949.

–, Die Anrechnung des Glaubens zur Gerechtigkeit: ThLZ 76 (1951) 129–132. Jetzt in: *ders.,* Gesammelte Studien zum Alten Testament (ThB 8) München 1971, 130–135.

Rainey, A. F., The Social Stratification of Ugarit, Ann Arbor 1962.

Rendtorff, R., Esra und das Gesetz: ZAW 96 (1984) 165–184.

Renger, J., art. Hofstaat. A. Bis ca. 1500 v. Chr., in: RLA IV (1975) 435–446.

Reventlow, H., „Sein Blut komme über sein Haupt", in: *K. Koch* (Hrsg.), Um das Prinzip der Vergeltung in Religion und Recht des Alten Testaments (WdF 125) Darmstadt 1972, 412–431.

–, Kultisches Recht im Alten Testament: ZThK 60 (1963) 267–304.

Reviv, H., On Urban Representative Institutions and Self-Government in Syria-Palestine in the Second Half of the Second Millenium B. C.: JESHO 12 (1969) 283–297.

–, Jabesh-Gilead in I Samuel 11:1–4. Characteristics of the City in Pre-Monarchic Israel: The Jerusalem Cathedra 1 (Jerusalem 1981) 4–8.

–, The Traditions Concerning the Inception of the Legal System in Israel: Significance and Dating: ZAW 94 (1982) 566–575.

Richter, W., Zu den „Richtern Israels": ZAW 77 (1965) 40–72.

Ringgren, H. – Rüterswörden, U. – Simian-Yofre, H., art. *ᶜābad*, in: THWAT V (1986) 982–1012.

Römer, W. H. Ph., Einige Bemerkungen zum altmesopotamischen Recht sonderlich nach Quellen in sumerischer Sprache: ZAW 95 (1983) 319–336.

Rost, L., Die Vorstufen von Kirche und Synagoge im Alten Testament (BWANT IV/24) Stuttgart 1938.

–, Die Gerichtshoheit am Heiligtum, in: *A. Kuschke – L. Rost* (Hrsg.), Archäologie und Altes Testament. FS K. Galling, Tübingen 1970, 225–231.

Rudolph, W., Chronikbücher (HAT I/21) Tübingen 1955.

Rüterswörden, U., Die Beamten der israelitischen Königszeit (BWANT 117) Stuttgart 1985.

–, Von der politischen Gemeinschaft zur Gemeinde (BBB 65) Frankfurt 1987.

Safren, J. D., merẖûm and merẖûtum in Mari: Or NS 51 (1982) 1–29.

Salmon, J. M., Judicial Authority in Early Israel: A Historical Investigation of Old Testament Institutions. Diss. Princeton 1968.

Sasson, J. M., Treatment of Criminals at Mari: JESHO 20 (1977) 90–113.

Sauer, G., art. jᶜd bestimmen, in: THAT I (1971) 742–746.

Seebaß, H., David, Saul und das Wesen des biblischen Glaubens, Neukirchen 1980.

Seeligmann, I. L., Zur Terminologie für das Gerichtsverfahren im Wortschatz des biblischen Hebräisch, in: Hebräische Wortforschung. FS W. Baumgartner (VTS 16) Leiden 1967, 251–278.

Seidl, E., Einführung in die ägyptische Rechtsgeschichte bis zum Ende des Neuen Reiches. I. Juristischer Teil (Ägyptologische Forschungen 10) Glückstadt–Hamburg–New York 1939.

–, Altägyptisches Recht, in: HdO I/3, Leiden 1964, 1–48.

Seitz, G., Redaktionsgeschichtliche Studien zum Deuteronomium (BWANT 93) Stuttgart 1971.

Sekine, M., Beobachtungen zu der Josianischen Reform: VT 22 (1972) 361–368.

Seybold, K., art. ẖāšab, in: ThWAT III (1982) 243–261.

–, art. Gericht Gottes. I. Altes Testament, in: TRE XII (1984) 459–466.

–, Satirische Prophetie (SBS 120) Stuttgart 1985.

Sigrist, Chr., Regulierte Anarchie, Olten–Freiburg 1967.

Simon, U., The Poor Man's Ewe Lamb: Bibl 48 (1967) 207–242.

Smend, R., Die Entstehung des Alten Testaments, Stuttgart ²1981.

Soden, W. von, Akkadisches Handwörterbuch, Wiesbaden 1965–1981.

–, Einführung in die Altorientalistik, Darmstadt 1985.

Soggin, J. A., Das Königtum in Israel (BZAW 104) Berlin–New York 1967.

–, Joshua (OTL) London 1972.

Sole, F., Potere e procedura giudiziaria presso gli Israeliti: La Palestra del Clero 44 (1965) 703–714.

Spieckermann, H., Juda unter Assur in der Sargonidenzeit (FRLANT 129) Göttingen 1982.

Suzuki, Y., A Hebrew Ostracon from Meṣad Ḥashavyahu. A Form-Critical Reinvestigation: AJBI 8 (1982) 3–49.

–, Juridical Administration of the Royal State in the Deuteronomic Reformation: Seishogaku Ronshu 20 (1985) 50–94 (japan.; vgl. OTA 9 [1986] 169).

Schäfer-Lichtenberger, C., Stadt und Eidgenossenschaft im Alten Testament (BZAW 156) Berlin 1983.

–, Exodus 18 – Zur Begründung der königlichen Gerichtsbarkeit in Israel – Juda: DBAT 21 (1985) 61–85.

Scharbert, J., Zefanja und die Reform des Joschia, in: *L. Ruppert – P. Weimar – E. Zenger* (Hrsg.), Künder des Wortes. FS J. Schreiner, Würzburg 1982, 237–253.

–, Jahwe im frühisraelitischen Recht, in: *E. Haag* (Hrsg.), Gott, der einzige. Zur Entstehung des Monotheismus in Israel (QD 104) Freiburg 1985, 160–183.

Schild, W., Alte Gerichtsbarkeit. Vom Gottesurteil bis zum Beginn der modernen Rechtsprechung, München ²1985.

Schmid, H., Das Gebet der Angeklagten im Alten Testament (BZAW 49) Gießen 1928.

Schmid, H., Die Gestalt des Mose (EdF 237) Darmstadt 1986.

Schottroff, W., Der altisraelitische Fluchspruch (WMANT 30) Neukirchen 1969.

–, Soziologie und Altes Testament: VuF 19 (1974) 46–66.

Schreiner, J., Der einzige Gott – der Helfer, in: *H. Bürkle – G. Becker* (Hrsg.), Communicatio Fidei. FS E. Biser, Regensburg 1983, 197–208.

–, Jeremia II. 25,25 – 52,34 (NEB) Würzburg 1984.

Schuler, E. von, Hethitische Königserlässe als Quellen der Rechtsfindung und ihr Verhältnis zum kodifizierten Recht, in: *R. von Kienle – A. Moortgat – H. Otten – E. von Schuler – W. Zaumseil* (Hrsg.), FS J. Friedrich, Heidelberg 1959, 435–472.

Schulz, H., Das Todesrecht im Alten Testament (BZAW 114) Berlin 1969.

Schwantes, M., Das Recht der Armen (BET 4) Frankfurt 1977.

Stähli, H.-P., art. pll hitp. beten, in: THAT II (1976) 427–432.

–, Knabe – Jüngling – Knecht. Untersuchungen zum Begriff naᶜar im Alten Testament (BET 7) Frankfurt 1978.

Stephens, F. J., A Cuneiform Tablet from Dura-Europos: RA 34 (1937) 183–191.

Tadmor, H., Traditional Institutions and the Monarchy: Social and Political Tensions in the Time of David and Solomon, in: *T. Ishida* (Hrsg.), Studies in the Period of David and Solomon and other Essays, Tokyo 1982, 239–257.

Thiel, W., Die soziale Entwicklung Israels in der vorstaatlichen Zeit, Neukirchen 1980.

Timm, S., Die Dynastie Omri (FRLANT 124) Göttingen 1982.

Tsevat, M., Marriage and Monarchical Legitimacy in Ugarit and Israel: JSS 3 (1958) 237–243.

Utzschneider, H., Hosea, Prophet vor dem Ende (OBO 31) Fribourg–Göttingen 1980.

Vaux, R. de, Ancient Israel. Its Life and Institutions, London ⁵1980.

Wagner, S., art. *dāraš,* in: ThWAT II (1977) 313–329.

Walther, A., Das altbabylonische Gerichtswesen (LSS VI 4–6) Leipzig 1917.

Wanke, G., art. Bundesbuch, in: TRE VII (1981) 412–415.

Ward, E. F. de, Superstition and Judgment: Archaic Methods of Finding a Verdict: ZAW 89 (1977) 1–19.

Weinberg, J. P., Das bēit 'ābōt im 6.–4. Jh. v.u.Z.: VT 23 (1973) 400–414.

–, Zentral- und Partikulargewalt im achämenidischen Reich: Klio 59 (1977) 25–43.

Weinfeld, M., art. Elder, in: EncJud VI (1971) 578–580.

–, Deuteronomy and the Deuteronomic School, Oxford 1972.

–, On ‚Demythologization and Secularization‘ in Deuteronomy: IEJ 23 (1973) 230–233.

–, Judge and Officer in Ancient Israel and in the Near East: IOS 7 (1977) 65–88.

Weingreen, J., The Case of the Woodgatherer (Numbers 15,32–36): VT 16 (1966) 361–364.

–, The Case of the Daughters of Zelopchad: VT 16 (1966) 518–522.

–, The Case of the Blasphemer (Leviticus 24,10ff): VT 22 (1972) 118–123.

Wellhausen, J., Prolegomena zur Geschichte Israels, Berlin–Leipzig ⁶1927 = Berlin 1981.

Welten, P., Geschichte und Geschichtsdarstellung in den Chronikbüchern (WMANT 42) Neukirchen 1973.

Wesel, U., Frühformen des Rechts in vorstaatlichen Gesellschaften, Frankfurt 1985.

Westbrook, R., Biblical and Cuneiform Law Codes: RB 92 (1985) 247–267.

–, Lex talionis and Exodus 21,22–25: RB 93 (1986) 52–69.

Westermann, C., Zum Geschichtsverständnis des Alten Testaments, in: *H. W. Wolff* (Hrsg.), Probleme biblischer Theologie. FS G. von Rad, München 1971, 611–619.

Whitelam, K. W., The Just King (JSOTS 12) Sheffield 1979.

Wijngaards, J., Deuteronomium (De Boeken van het Oude Testament II/II) Roermond 1971.

Wildberger, H., Jesaja 1 – 12 (BK X/1) Neukirchen ²1980.

Wilson, R. R., Enforcing the Covenant: The Mechanisms of Judicial Authority in Ancient Israel, in: *H. B. Huffmon – F. A. Spina – A. R. W. Green* (Hrsg.), The Quest for the Kingdom of God. FS G. E. Mendenhall, Winona Lake 1983, 59–75.

–, Israel's Judicial System in the Pre-Exilic Period: JQR 74 (1983) 229–248.

Wiseman, D. J., The Alalakh Tablets (Occasional Publications of the British Institute of Archeology at Ankara 2) London 1953.

Wolff, H. W., Dodekapropheton 1 Hosea (BK XIV/1) Neukirchen ³1976.

–, Dodekapropheton 4 Micha (BK XIV/4) Neukirchen 1982.

Würthwein, E., Die Erzählung von der Thronfolge Davids – theologische oder politische Geschichtsschreibung? (ThSt 115) Zürich 1974.

–, Die Bücher der Könige. 1. Könige 1 – 16 (ATD 11,1) Göttingen 1977.

–, Die Bücher der Könige. 1. Könige 17 – 2. Könige 25 (ATD 11,2) Göttingen 1984.

Würthwein, E. – Merck, O., Verantwortung (Biblische Konfrontationen) Stuttgart 1982.

Würzbach, N., art. Fiktionalität, in: EM IV (1984) 1105–1111.

Zeitlin, S., The Political Synedrion and the Religious Sanhedrin: JQR 36 (1945/46) 109–140.

–, The Rise and Fall of the Judean State 1, Philadelphia ²1968.

Zenger, E., Das Buch Ruth (ZBK 8) Zürich 1986.

Zimmerli, W., Ezechiel 1 – 24 (BK XIII/1) Neukirchen ²1979.

–, Ezechiel 25 – 48 (BK XIII/2) Neukirchen ²1979.

Zobel, H.-J., art. *mišpāḥāh,* in: ThWAT V (1986) 86–93.

Abkürzungsverzeichnis

AbB	Altbabylonische Briefe
AHw	Akkadisches Handwörterbuch
AJBI	Annual of the Japanese Biblical Institute
Akk	Akkadica
AnBibl	Analecta Biblica
AOAT	Alter Orient und Altes Testament
ARM	Archives Royales de Mari
ATD	Altes Testament Deutsch
ATD ER	Altes Testament Deutsch Ergänzungsreihe
AThD	Acta Theologica Danica
BA	Biblical Archeologist
BBB	Bonner Biblische Beiträge
BET	Beiträge zur biblischen Exegese und Theologie
BETL	Bibliotheca Ephemeridum Theologicarum Lovaniensium
BHHW	Biblisch-Historisches Handwörterbuch
BHK	Biblia Hebraica, ed. R. Kittel
BHS	Biblia Hebraica Stuttgartensia
Bibl	Biblica
BiKi	Bibel und Kirche
BK	Biblischer Kommentar
BN	Biblische Notizen
BWANT	Beiträge zur Wissenschaft vom Alten und Neuen Testament
BZ NF	Biblische Zeitschrift. Neue Folge
BZAW	Beihefte zur Zeitschrift für die alttestamentliche Wissenschaft
CAD	Chicago Assyrian Dictionary
CB	Coniectanea Biblica
CBQ	Catholic Biblical Quarterly
CRRAI	Compte Rendu de la Rencontre Assyriologique Internationale
CThM	Calwer Theologische Monographien
DBAT	Dielheimer Blätter zum Alten Testament
DBS	Dictionnaire de la Bible Supplément
EdF	Erträge der Forschung
EKL	Evangelisches Kirchenlexikon
EM	Enzyklopädie des Märchens
EnJud	Encyclopedia Judaica
EvTheol	Evangelische Theologie
FRLANT	Forschungen zu Religion und Literatur des Alten und Neuen Testaments
FrThSt	Freiburger Theologische Studien
FS	Festschrift
FThSt	Frankfurter Theologische Studien
FzB	Forschung zur Bibel
Gen	Genava
HAT	Handbuch zum Alten Testament

HdO	Handbuch der Orientalistik
JANES	Journal of the Ancient Near Eastern Society
JAOS	Journal of the American Oriental Society
JCS	Journal of Cuneiform Studies
IEJ	Israel Exploration Journal
JESHO	Journal of the Economic and Social History of the Orient
JNES	Journal of Near Eastern Studies
JNWSL	Journal of Northwest Semitic Languages
IOS	Israel Oriental Studies
JQR	Jewish Quaterly Review
JSOT	Journal of the Study of the Old Testament
JSOTS	Journal of the Study of the Old Testament Supplements
JSS	Journal of Semitic Studies
Jud	Judaica
KAI	Kanaanäische und aramäische Inschriften
KatBl	Katechetische Blätter
KS	Kleine Schriften
KTU	Keilalphabetische Texte aus Ugarit
LexÄg	Lexikon der Ägyptologie
LrS	Leipziger rechtswissenschaftliche Studien
LSS	Leipziger Semitistische Studien
MDAI	Mitteilungen des Deutschen Archäologischen Instituts
NEB	Neue Echter Bibel
OBO	Orbis Biblicus et Orientalis
Or NS	Orientalia. Nova Series
OrAnt	Oriens Antiquus
OTA	Old Testament Abstracts
OTL	Old Testament Library
PRU	Palais Royal d'Ugarit
QD	Quaestiones Disputatae
RA	Revue d'Assyriologie
RAC	Reallexikon für Antike und Christentum
RB	Revue Biblique
RGG	Religion in Geschichte und Gegenwart
RHPhR	Revue d'histoire et de philosophie religieuses
RLA	Reallexikon der Assyriologie
SBS	Stuttgarter Bibelstudien
ScR	Sciences Religieuses
StUNT	Studien zur Umwelt des Neuen Testaments
SSN	Studia Semitica Neerlandica
Syr	Syria
TGI	Textbuch zur Geschichte Israels
THAT	Theologisches Handwörterbuch zum Alten Testament
ThB	Theologische Bücherei
ThLZ	Theologische Literaturzeitung
ThSt	Theologische Studien
ThWAT	Theologisches Wörterbuch zum Alten Testament
TRE	Theologische Realenzyklopädie

Register (Bibelstellen in A...